A árvore mais sozinha do mundo

Mariana Salomão Carrara

A árvore mais sozinha do mundo

todavia

Deste lado
da cerca do jardim
estamos.
Do outro lado
o mundo.
Dias inteiros
bateram contra a cerca
e vemos agora seus pedaços
entre os cogumelos podres
no chão.
Pássaros voltam do inverno
o tempo é de recomeço
e o jardim sobreviveu
ao moinho das estações.
Também nós
nos reerguemos
sobre as cinzas e as bombas e os cadáveres.
Nenhum jardim
é inocente.
Não se misturam
as coisas e as palavras
intraduzíveis umas pelas outras:
de nada vale colocar um seixo no lugar
de um nome que falta
ou adornar um verso
com uma flor de laranja.
O gelo que um dia destruiu o jardim
deixou intacto este poema.
Silenciosos
estranhos
andamos ladeando
a cerca
sentindo sobre os ombros
o peso novo do verão.
Usamos palavras antigas
pedra folha e noite.
Só nelas ainda
confiamos.

Ana Martins Marques, “Um jardim para Ingeborg”

Quando germina na primavera, sua sorte está lançada. A partir de então, a muda está ligada para sempre àquele pedaço de terra e precisará aceitá-lo.

Peter Wohlleben, *A vida secreta das árvores*

Parte 1

I.

Eles sabem tanto de amor. Era melhor saberem menos, assim acabavam logo comigo. Eles acham que sabem muito de venenos, mas não podem saber mais do que eu.

Meus galhos grossos imensos avançam por cima da casa, a minha sombra é a melhor de todo o terreno. No tronco mais baixo me pregaram há muitos anos este balancinho. Apesar de tudo eles sabem também de infâncias.

O que uma árvore tem para fazer o dia inteiro é espiar os humanos por cima. É um ângulo um pouco sórdido, porque eles julgam que vigiando por cima há somente Deus, se tanto.

Talvez haja alguma vantagem em ser uma árvore, entre todas as coisas que se pode ser, porque de cima vejo muito longe, e por baixo vejo sempre a família quando repousam recostados no meu tronco. Sob a copa de uma árvore o costume é amar muito alguém, ainda que seja na forma de ódio como amam as duas irmãs. Ou também é bastante comum que venham aqui sofrer, o choro quieto ou exausto que eles às vezes choram.

Quero dizer que é raro alguém parar aqui embaixo em estado de indiferença. A desvantagem é que só pela sombra posso acolher os ânimos de alegria, miséria ou exaustão, nada além disso. Meus galhos, por mais que se esforcem, não possuem o registro de um abraço.

Todos sabem a importância das árvores para os humanos, mas pouco se fala da importância das pessoas para nós. E o fato é que quero tanto a esta família, amparar seus futuros, prosperidades, que bem preferia ser na verdade uma árvore genealógica. Uma genealogia do porvir.

Nesta terra temos limites para a alegria e temos também os limites dos dias — o tempo do tabaco. Agora eles têm de começar o transplante. É preciso cuidar de cada muda, as mãozinhas feito um cesto de amor, eles sabem de amor. Vou vendo todos juntos cada vez mais distantes de mim nas linhas da plantação, as crianças fora da minha sombra, o sol no olhinho, mas é agosto e aqui no Sul ainda é um sol gelado.

O bom era fazer isso sem tanto sol, um pouco mais de nuvem, alguma chuva, mas o tempo do tabaco nem sempre se acerta com os outros tempos. Depois de tudo que aconteceu nos últimos dois anos, era melhor mesmo esperarem até agora.

Outra vantagem de uma árvore é comer luz. Eles não podem viver de luz nem mesmo depois de um dia inteiro debaixo desse sol.

Eu daria a eles toda a minha comida se pudesse.

Meu tempo preferido é antes deste, as sementinhas nos canteiros cobertas de lona atrás de mim. Todos os dias vem um deles descobrir por uns instantes, depois cobre de novo, são bebês que alguém espia no berço, estão respirando, pronto. Enquanto isso a família vai arando a terra toda ou tratando a palhada. Este ano alugaram o boi de canga de um sítio vizinho, eu acho, para as áreas mais planas. Ou alugaram ou pode ter sido emprestado, mas duvido, a lavoura bonita de um pode ser a miséria do outro na hora da venda. Apesar que tudo é possível, eles sabem tanto de amor.

Quando os animais vêm passear embaixo de mim eu lembro que tinham de me tombar daqui. As cabras tão pequenas se fartam das minhas favas depois se revolvem no chão, tenho medo de que vomitem além do que é o próprio conteúdo delas, fiquem ao contrário, mais para fora do que para dentro. Quando tínhamos bezerros, pior ainda.

Ninguém pode saber a dor de ser venenosa, as pessoas podem saber de muitas outras dores, mas não desta, que é a minha.

Guerlinda poderia imaginar o que é isso se, todos os dias, em vez das lentilhas que escapam vaporosas pela chaminé bem direto nos meus galhos, cozinhasse qualquer coisa putrefata que em seguida escapasse das entranhas dos filhos em golfadas penosas, muito choro. Mas que isso fosse inevitável, um apeçonhamento natural. No dia seguinte mais almoço e mais vômitos. Talvez nem assim Guerlinda me entendesse, porque verter venenos é diferente de produzi-los, eu tenho na minha seiva um código de maldade.

E então acontece de eles darem com os animais azedando ao longo das minhas raízes, chamam um pelo outro nos nomes de sempre, isto daqui é uma ciranda dos nomes de sempre, e o outro vem lá de dentro com as injeções. As crianças pulam as poças de nacos de estômagos para alcançar as orelhinhas da cabrita e alisá-las num acalanto.

Um tempo depois quase sempre os bichos voltam à vida normal, eu com a folhagem enrubescida, murcha de uma vergonha inteiriça, que me arrepia cada bulbo. E ainda assim o Carlos dá dois leves tapas na minha casca como se eu fosse uma velha amiga que tivesse falhado de novo, uma incontinência virulenta que ele pudesse perdoar todos os meses por causa de um amor que nós dois não compreendemos.

Os animais, depois, já não sei dizer, não entendo por que voltam às minhas toxinas, olham para cima encantadores e talvez com esse olhar me perguntem se dessa vez tudo bem, se vou poupá-los, e os meus gritos são na verdade uns ventos pérfidos entre as minhas folhas fazendo tombar novas delícias venenosas.

As pessoas, quanto mais crescem, mais têm medo de tropeçar e cair de suas pequenas alturas. Eu não, já faz um tempo que fantasio minha queda, cresci tanto que acumulei vertigem. E eu imploro que me arranquem daqui, minhas raízes para o ar finalmente inocentes, mas o amor, eles sabem tanto de amor, o amor tem dessas coisas, que é manter viva do lado de casa uma árvore venenosa que só quer acabar de viver.

2.

A Alice hoje está de bom humor, encheu a sala toda com as suas piruetas de entusiasmo, vestiu-se para a lavoura e ainda deu de comer ao irmão. Agora olha-se no meu reflexo a perguntar-me, como sempre, se é bela o suficiente. O suficiente para quê, a um espelho lusitano é bastante a beleza simples, pouco elaborada, no meu tempo e na minha terra as raparigas não se exibiam assim diante de mim, tinham mais com o que se preocupar, não é?

Deixa-me e volta-se para o pai que vem do quarto num dos seus maus dias, passou a madrugada nas suas angustiantes espertinas e agora custa a dar por iniciada a manhã. Há aqueles dias em que o Carlos está melhor e há dias em que eu preferia que ele nem sequer passasse diante de mim para que eu não fosse obrigado a refletir semelhante figura.

Entra em casa a Maria, inspirada das lições da escola, a face redonda avermelhada do frio,

— Pai! Hoje a professora me deu um dez e uma estrela em ciências, posso te mostrar a prova?

e o bom humor da Alice não se sustenta diante das inconveniências da mais pequena, e o que é que o pai vai querer ver numa prova de ciências,

— Tonta, não vê que o pai tá cansado né

e o Carlos de facto está naqueles dias em que saiu apenas metade dele da cama, cada movimento custa-lhe um ano de vida,

— Então vou mostrar pra tu daí

— Capaz! Vai mostrar é pras cabras

então o Carlos acaba por deixar cair uma colher no chão, a pequena colher com que tirava o chá de mate da lata, há um discreto tilintar metálico, as duas olham, olham por instinto, não chega a ser um susto, mas o Carlos não se recompõe facilmente, seria preciso baixar-se para apanhar a colher, e o seu corpo hoje não suporta a envergadura desse gesto, fita a colher com imenso desgosto, e começa a escapar-lhe das feições um estranho choro, principia hesitante, mas logo se revela entregue e convicto, sim, é isso, o Carlos a chorar diante da colher caída,

— Pai! Não é nada, o que é isso

— Pai, paizinho, senta aqui

— Pronto olha aí a colher, já peguei, pronto, pronto...

A Maria abraça-lhe o pescoço, a Alice toma-lhe a mão, acarinham o pai como podem sem que hoje ele responda se não com mais pranto,

— Pai, daqui a pouco a mãe aparece e dá com o senhor desse jeito, vai assustar ela né

— Vem aqui, vem deitar de novo, pronto, não é nada

— É só uma colher, pai

Conduzem o pai de volta ao quarto, de onde hoje não devia ter saído, notadamente para pegar numa colher e deixá-la cair sem misericórdia ao chão. Voltam aturdidas e algo irmanadas por esse colapso paterno, olham-se em mim como a certificarem-se de que continuam as mesmas, e saem para a lavoura.

3.

As meninas vêm com Pedrinho até as mudas de tabaco, aquelas que ficam atrás de mim, aproveitando a minha sombra. É raro que eu seja uma árvore útil, então é bom destacar cada júbilo.

Segundo o relógio do fumo agora é a hora do transplante, e eu penso numa cirurgia em que as minúsculas mudas são retiradas de uma bandeja estéril e cuidadosamente inseridas num corpo úmido aberto em covas a distâncias exatas umas das outras. O transplante acaba parecendo um cemitério de miniaturas escavado por crianças e são crianças que enterram as plantas e deitam a terra por cima acolchoando o montinho. É na verdade um transplante em que a terra é o corpo que recebe o órgão, então um cemitério ao contrário, o corpo é a cova.

Ando muito com esses assuntos de cova e morte, não sou mais a mesma. Fiquei assim junto com o Carlos, que também não é mais o mesmo. Eu não sinto essa dor, mas pela cara dele parece que agora tentar ficar feliz dói.

Tantos dias iguais a este. O ritual segue tão preciso e idêntico que fica difícil até para uma árvore a marcação dos dias. Pode ser por isso que eu escrevo um diário. Não escrevo um diário, sou eu mesma de certa forma um enorme rolo de papel, um livro e eu somos da mesma matéria, meu pensamento já vem ele próprio escrito no papel que sou. O registro das minhas impressões sobre o que me acontece é natural como fazer nascer uma folha verde. Então todo pensamento de árvore já é redação, não há árvore livre dos mandamentos da escrita.

Assim também fica anotada uma parte da história desta família, que é a única família que tenho, mas seria de toda forma a minha preferida. Na verdade, aqui vai só uma parte bem pequena mesmo da história deles, porque para dentro de casa, infelizmente, nunca vão me levar. Outra desvantagem de ser uma árvore.

Alice de pé segura a bandeja pesada, Maria que é quase duas cabeças mais baixa recolhe a muda de fumo da bandeja e repassa ao Pedro, que ainda fala tão pouco, sempre com punhados de terra ou areia diluídos na baba da cara, solta de tempos em tempos apenas uma palavra isolada e mal fornida. Pedro tem a altura ideal para isso e gosta bastante de acocorar-se, então é ele quem encaixa cada planta na sua cova e depois acaricia a terra com os dedinhos, as unhas sempre pretas.

Antes, para cavar nas distâncias exatas, eles fazem um cálculo fraternal de braços e pernas. Meio braço da Alice é igual ao braço inteiro do Pedrinho, e para Maria, que ficou sem proporções, calha a função de cavar nas marcas que os irmãos fazem. Ela reclama dos joelhos na terra e das costas curvadas, e antes que termine de reclamar Pedro joga terra nos cabelos dela e ri.

4.

As outras roupas são mais antigas, eu só tenho oito anos, sou de longe a mais nova das capas de proteção, tem uma roupa que é muito senhora já, veio da época que o tio Carlos era até solteiro. Eu nunca vou na tia Guerlinda porque ela é adulta e não corre a tempo de chegar primeiro em mim, os adultos não correm, só se uma criança estiver em perigo, mas aqui nenhuma criança nunca está em perigo desses perigos que são pra correr. Então eu nunca pulverizei com um adulto, eu adoro pulverizar, é o máximo!

As duas correm na minha direção, não sei qual vai me escolher, é sempre a que chegar primeiro. Maria é mais devagarinha, um pouco cheia, Alice fica dizendo que quando a Maria me veste ela entala. Eu sou a preferida porque não tenho nenhum rasgo, todas as outras roupas têm algum furo, e um furo é o contrário de uma roupa de segurança. Digo, o contrário não chega a ser, mas tudo que tem furo é menos coisa do que a coisa inteira que não tem o furo.

A Alice chega primeiro e me alcança, como ela está ofegante me pega uns segundos num abraço. Ela reclama muito da minha pele, esse plástico grosso e pesado, diz que no sol eu fico quarenta e sete graus, ela diz sempre assim, quarenta e sete. Suamos muito juntas. Tem vezes que elas me acordam de madrugada pra não pegar sol, mas os remédios precisam mesmo é do calorão.

Tio Carlos joga pra Maria a outra roupa com rasguinhos pequenos e depois outra pra tia Guerlinda. A dele já está com o plástico fino de tão gasto. Andamos assim até as mudinhas novas, somos lerdos juntos, os braços da Alice dentro de mim não conseguem abrir direito e eu acho engraçado, parecemos astronautas no meio das folhas de tabaco, eu gosto de brincar que chegamos na Lua e a Lua é desse jeito, plantada.

Nas costas a torpilha é muito pesada, a Maria quase não aguenta, mas como ela precisa mostrar que aguenta ela é a que menos reclama nessa hora. A torpilha é a mochila de remédio. A Alice reclama muitíssimo. O sol deixa a gente embaçada, a máscara muito molhada. A gente vai deixar o fumo limpíssimo, não vai subir uma mosca, somos quatro super-heróis embalados espirrando jatos de poder.

O tio Carlos às vezes repreende as filhas porque tem que tomar cuidado com a deriva, que é quando o remédio cai pra onde não deve. Às vezes vem caindo do terreno do vizinho que é até que longe mas mesmo assim derrama aqui e atrapalha as galinhas e tem o perigo de chegar no poço, então essa é uma hora muito séria.

A Maria mira na fileira da esquerda e a Alice na da direita. O bracinho delas vai e vem doendo na alavanca e eu às vezes engancho e me enrosco e então a Alice me odeia. Ela também me odeia quando meu gorro cai no olho ou não cobre direito o cabelo. A alavanca sobe e desce, a dos adultos vai mais depressa, não sei se é porque eles têm mais força ou mais vontade.

Tio Carlos faz sinal pra Maria levantar um pouco o braço que segura a ducha porque ela é mais baixinha e a distância do chão fica pouca. A mochila de remédio é muito pesada, coitada da Maria. Ela chama de veneno, o tio Carlos também, mas alguns gostam mais de falar remédio. Eu falo remédio.

Mesmo comigo que não tenho furo às vezes a torpilha, a torpilha é aquela mochila de remédio, às vezes ela balança e entorta e escorre um pouco de remédio pelo pescoço delas, ou escorre da luva pra dentro do braço, e a Alice tenta coçar, mas eu sou muito insuportável e não deixo a pessoa mexer um puto de um braço, qualquer dia ela vai rasgar essa coisa inteira e largar mão dessa frescura, todos vão ver, essa porcaria que não serve pra nada, que ela já está toda ardida. A voz dela mudou muito agora que ficou mais moça, mas ela sempre falou desse jeito, eu fico chateada, mas são coisas que ela não pensa de verdade.

Era pra elas terminarem muito antes dos adultos porque elas só levam metade do remédio que cabe na mochila, mas depois de muito tempo o braço subindo e descendo elas querem parar um pouco, está fervendo dentro dessa roupa, segundo a Alice, e a roupa sou eu, que continuo sendo imprestável, mas o tio Carlos, que é o pai, faz um sinal que é pra animar, mas não anima nada.

Talvez tivesse um óculos além da touca, eu acho, no pacote eu vinha com uma touca mas a minha já rasgou, e não deve dar pra enxergar nada nem respirar com tudo coberto daquele jeito, eu vim num pacote lá de Minas Gerais e vinha uma touca mas não lembro se vinha óculos. A tia Guerlinda tem o olho tão claro que às vezes eu acho que não tem olho, e fica só o olho sem olho por cima da máscara no meio dos jatos de remédio, com a touca branca fica parecendo um fantasma numa chuva escura. A máscara tampa o nariz mas também tampa o sorriso mas tudo bem porque eu posso apostar que não estão sorrindo, não agora pelo menos, eu acho.

5.

A melhor hora é esta, depois de tantos dias iguais, os quatro jogados na minha sombra, as roupas de segurança amontoadas ao lado, encharcadas de suor e veneno. A minha sombra ainda é muito gelada em agosto e eles respiram juntos, as cabeças nas minhas raízes, eu sopro um carinho de folhas soltas. Sou um amparo galhudo e firme. Sossegamos todos.

O transplante foi um sucesso, diria o cirurgião sobre as mudas de tabaco tão belamente encovadas, cintilantes de pulverização e sol. Onde está o Pedro é uma coisa que nunca pensam muito, se eu esforço os ramos altos por cima da chaminé não vejo Pedro, pelas janelas detrás da casa, aí sim, o menino tão sujo de terra que parece plantado no chão do quarto segurando um brinquedo. Pedro é tão bom que não precisam saber onde está porque está sempre onde o puseram, uma criança-árvore.

Até por isso a mãe da Guerlinda foi embora, cuidar de outros netos, as crianças daqui se cuidam sozinhas.

Maria levanta e dobra a capa com nojo, joga água da mangueira sobre a roupa de plástico e tudo escorre pela terra. Eu que sei bem de venenos vejo o quanto queima na grama esse mosto amargo.

A melhor hora não dura muito, começam a se levantar, um de cada vez. Fico esperando um peso no meu balancinho, ninguém vem. Carlos recolhe as roupas duras e se afasta arrastado, está cada dia mais lento, o medo é um dia ficar imóvel como eu. Pode ser que os venenos façam isso aos humanos, criem uma tendência a árvore.

Guerlinda vai ver a janta, Maria gosta de dizer que vai fazer lição, diz mais de uma vez, porque Alice mesmo ainda nova não tem mais lição, concluiu o Fundamental há um ou dois anos e fim. O sol vai ficando oblíquo e sem efeito, minha folharia doida no vento.

Entram todos na casa em que eu nunca estarei.

6.

Entram em casa com esse ar de missão cumprida, mas eu noto o peso das geadas dentro de cada olho, nem precisam de enfrentar o meu reflexo, já sei muito bem, eles não vão dizer nada, ninguém vem nesta altura falar do ano passado, não foi no ano passado, foi no ano anterior, ainda assim, ninguém dirá que agora o perigo é virem as geadas, e o que não dizem fica nesta sala, bate na luz e em mim e eu revelo numa imagem irrefragável, não se pode esconder grande coisa de um espelho português tão viajado. O medo das geadas está a ondular-lhes o rosto.

O transplante em agosto deve ser o mais seguro nesta região, se foi isso o que estiveram a fazer lá fora é bonito terem feito tudo da forma mais segura, mas há dois anos as geadas foram em agosto e aqui estou eu para lembrá-los, não sei como ficou a plantação, sei da cara deles diante de mim quando tinham coragem de contemplar a derrota, sei das conversas, os gritos, quase não se grita nesta casa por isso os gritos são sempre muito importantes, e entre os gritos sabia-se que o seguro era insuficiente, ou não cobria, ou pior, o pagamento da anuidade da associação estava atrasado, como é que podiam não saber isto, o Carlos pela primeira e única vez deu um soco na mesa, abafado pelas rendinhas do naperon, que não se metessem todas assim ao mesmo tempo onde não eram chamadas.

Não sou um espelho dado a trocadilhos. Excecionalmente, porém, gosto de dizer que reflito muito, reflito tudo, mas reflito muito sobre esta família, que é a família que eu tenho hoje e é a que posso refletir. Se repararem na minha moldura em rococós e entalhes de pássaros e volutas, ricamente encimada por um florão com pátina e folha de ouro, o cristal bisotado, bem podem chamar-me de relíquia, se me levam a um leilão ou aos penhores ainda saem com a refeição de meio ano, pelo menos do mês, ainda assim dou muito mais valor a estas pessoas do que elas a mim, humano meu, humano meu, existe no mundo espelho mais belo do que eu? Nem para além dos sete montes enfeitados etc.

Agora o Carlos está sentado à mesa e a Guerlinda a deitar ensopado nos pratos, silêncio, só a televisão por trás com a dramaturgia de sempre, ninguém vem nesta altura para dizer algo deste tipo, e as geadas, meu Deus? E então alguém retorquiria que as geadas são do passado, por que razão falar nas geadas agora? Não, não seria assim, a Maria levantaria a cabeça do caderno, como se tivesse feito uma conta e chegado a um resultado possível, pai, e as geadas? E a Alice teria ganas de dar um estalo na cara da irmã, como se as geadas fossem coisa de entornar para o prato pela boca, um ensopado ao contrário. O Carlos diria que ficasse toda a gente tranquila, que este ano não há qualquer previsão de geadas para esta época, e a Guerlinda lembraria que há dois anos também não tinha havido previsão e no entanto...

Agora estão todos em silêncio com o ensopado, e eu sei que é um silêncio de geadas, talvez somente eu o saiba, porque esta gente simplória se calhar julga que cada um está sozinho no seu pensamento de geada quando claramente a família está aqui toda paralisada nesse pavor.

O Carlos talvez não dissesse nada que as acalmasse, é verdade que fala menos a cada ano, é evidente que uma palavra lhe gasta quatro vezes mais energia do que aos outros, por isso é melhor realmente que ninguém ponha no ar o seu próprio pensamento de geadas porque o Carlos não diria nada e a geada ficaria aqui diante de nós a arrefecer o ar, um medo revelado que eles teriam ainda mais receio que se concretizasse já que um medo assim tão para fora deles parece coisa que vazaria porta fora sem eira nem beira e congelaria rapidamente a plantação, e eu não sou nenhum espelho capaz de contas, mas não é preciso muitos números para entender que uma segunda geada a esta altura, principalmente com as dívidas daquela primeira ainda empilhadas na testa do Carlos, mais uma dessas e esta família não sobrevive, o que acontece, é normal, como se passa aos animais, de vez em quando a natureza decide que não podem sobreviver, ao contrário de outros na floresta logo ao lado. E então apenas o espelho resiste, implacável, pendurado, firme do alto até quase ao chão, para espelhar outra família.

Terminam o ensopado e não haverá geadas, agora alimentados vê-se que tudo correrá bem, já começam a lavar os pratos, cada um a seu turno, encostam o cachopo ao pé de mim, o garoto que onde o colocam dá raízes, uma criança facílima, é devagar com as palavras, se calhar os venenos lá fora mexeram na gestação, gosta de se olhar no meu reflexo, mas não como os outros, parece que me observa numa camada mais funda de mim, vê os próprios olhos no meio das minhas oxidações e vê também qualquer coisa para além disso, às vezes parece que se vai rir, outras, chorar, e fico sem saber o que é que pode ele ver tão profundo além da cara bonita, é um cachopo bonito porque é quieto, é isso que ele pensa, quanto mais quieto mais ouve que é bonito, os outros a lavarem os pratos e ele aqui a fitar algo muito importante dentro de mim.

A Maria volta à lição, agora sem pensar nas geadas, tenho a certeza de que já não pensa nas geadas porque esta gente é assim, com o estômago aplacado amainam todos os instintos, vai passar todo o serão com o lápis a correr eloquente no pequeno caderno a fingir indiferença à novela na televisão. Todas as noites deixa o caderno sobre a mesa na esperança de que alguém lhe espie as lições, sorrateiramente, a mãe percorreria os últimos parágrafos da redação, primeiro aflita, depois a sorrir, só não mostraria ao pai porque o Carlos tem muitos pensamentos próprios, não teria espaço para bisbilhotar a filha, e já nem lembra bem como se lê, se calhar a Alice, ressentida, agora sem escola, folhearia ao acaso a parte dos desenhos, ou as contas de matemática, se calhar já se esqueceu de como se decifram, e sentiria uma pequena dor de não ser a própria irmã, de não ser a mais pequena, para isso fica o caderno quase aberto sobre o naperon todas as noites, mas estou aqui diante dele e nunca, posso garantir que nunca ninguém mexeu nestas folhas.

7.

O sol da manhã, ainda muito frio, não chega a esquentar nem a mais alta das poucas folhas que me restam no meio das favas ainda verdes. Guerlinda cuida agora dos milhos e das batatas, só por uns instantes. Ela gosta dos milhos e batatas, mas não pode demorar neles porque aqui vivemos o tempo do fumo. E também os espaços do fumo, que são sempre os melhores, senão vem o orientador da empresa e repreende a todos, como se fossem empregados dele, bota a sua banca de sabido, critica uma conduta ou outra, manda que plantem mais e mais que nesta safra pagarão muito bem. E os humanos às vezes têm essa desvantagem de acreditarem uns nos outros. Apesar de que isso é uma coisa que nós árvores também fazemos, só não confiamos por exemplo no eucalipto. E então Carlos sacrifica mais cebolas, milhos, elimina quase todo o grão-de-bico, amplia toda a lavoura de fumo, o orientador muito satisfeito. E depois, é o de sempre, ouvem nos arredores o burburinho, que este ano produziram demais, foram tolos, agora despencam os preços, os mais distantes culpando os mais próximos, os mais próximos culpando as outras regiões.

Ela vigia o milho discreta, não vá o tabaco pensar que ela se ocupa demais dos outros cultivos, que são coisa pequena, só para encher a mesa e nada mais, às vezes até dá uma sobra ou outra para vender nas feiras, principalmente os pêssegos, mas nada que o tabaco precise reparar, que aqui manda ele.

***

Quando a mãe da Guerlinda morou conosco, davam mais atenção aos cultivos todos, mais duas mãos na lida, as batatas eram felizes, e as crianças também eram, e até a Guerlinda. Não sei se por causa da mãe, penso que não, mas pode ser, no fundo tudo o que querem os mamíferos é a mãe.

Agora Guerlinda caminha de longe com o chapéu e se aconchega uns instantes na minha sombra, as costas no meu tronco farelento de formiga, fala comigo, ou na verdade não fala comigo, fala sozinha. Mas se fala sozinha com a mão apoiada na minha casca é natural que seja, na soma das palavras com as mãos, alguma espécie de carinho. Que este ano tudo vai muito bem, já recuperaram tanto, mesmo com as geadas do ano retrasado é impressionante como se refizeram. Está ofegante dos cuidados com o milho, mas se falasse mais diria que estavam todos bem, talvez não tanto o Carlos, que há anos pegou alguma preocupação que não saiu mais de cima do nariz, não dá nem graça conversar muito, e também não sabe direito o que conversariam a essa altura se fossem tentar.

O ruim disso é que a Maria pode conversar na escola, se é que tem amigos, a Alice tem uns vizinhos dos terrenos mais adiante na linha, uma espécie de namorado que vem disfarçar a falta de assunto, e tem o Pedrinho que mesmo com quase três anos ainda não sente falta de conversar, por mais esforços que Maria faça para ensiná-lo. Mas e Guerlinda, vai falar com quem? Ficou aqui comigo plantada nesse silêncio.

Quando a mãe morava aqui ainda tinha alguém com quem disputar as receitas, possivelmente criticar a novela. Até poderia bater em alguma roça mais ou menos vizinha, um olá, mas há tantos anos que perdeu o jeito disso. Nem saberia começar uma ideia dessas, não, essa é uma ideia minha, uma ideia de árvores com mania de despencar frutos em outros terrenos, essa ideia não dá na cabeça de Guerlinda, que fica então plantada no silêncio. Antes pelo menos tomavam o mate aqui depois de jantar, Carlos, Guerlinda e a mãe dela, agora parece que nem acendem direito a luz porque maltrata alguma coisa dentro da cabeça dele.

Alice ainda de pijama surge diante da porta da casa segurando a mão do Pedro, o olho franzido

— Mãe, a Maria não encontra as canetas

o olho franzido na minha direção, um olho de sono contra a luz. Guerlinda bate as mãos nas calças para despegar a folhagem, não sabe de canetas

— Tá dizendo que não pode ir sem, que a professora não deixa emprestar daí

só sabe, isso sim, dos milhos e das batatas, e mais ainda das galinhas que Alice tem de ir alimentar e dos porquinhos que também têm fome e nada de Alice colocar a cara no sol para fazer a sua parte, que esta casa não funciona se todos não colaboram igual, que ela já é moça e cansa uma mãe ter de repetir tanto. Guerlinda avança para a porta da casa escapando da minha sombra, que não é nada ampla a esta hora, fica quase inteira para trás da casa,

— Mas, mãe, é que ninguém aguenta a tua filha com essa coisa das canetas, há meia hora revirando as almofadas né

— E tu tem alguma coisa a ver com as caneta da tua irmã, Alice?

— Capaz! O que eu teria que ver com essa maldição de canetas

— Então pode soltar o guri e vai já resolver as galinha né

— Se eu tô com o guri não posso tá com a coisa das canetas e também as galinhas e os porcos, que inferno

— Deixa o piá aí que ele fica onde tá, Alice, diaba.

Na janela do quarto do casal o sol começa enfim a bater por entre a sombra das minhas folhas e fica um desenho bonito, a parede de barro rosa e por trás do meu desenho a cara do

Carlos olhando a plantação e não vendo nada, ouvindo as mulheres e não ouvindo nada.

— Pedro, tu é um guri bonito né, que vai ficar onde a mamãe mandar?

Pedro é um menino tão bonito, não gosta de conversas assim meio gritadas, senta no chão na frente da casa e vai cavoucar a terra com uma pá de jardim

— Maria, filha! A kombi da escola já tá na estrada, ouvi a buzina!

e enquanto o menino cava, a Maria vem chegando de mochila, um lanche mal embrulhado numa sacola apressada, a cara fungada de choro, dá um empurrão em Alice

— Eu te odeio

e corre pela passagem de terra no meio da vegetação, vai fazendo subir a poeira embaixo do tênis, a mochila sacudindo nas costas

— Filha, tu tem alguma coisa a ver com o sumiço das caneta da tua irmã?

e Alice quieta já no caminho dos porcos, as galinhas em seguida, assim Alice pensa que está fazendo do seu jeito, se inverter a ordem, pronto, já fez como queria, e não como queria a mãe, primeiro os porcos e depois as galinhas. A irmã não vai anotar as aulas nem resolver os exercícios, Pedro faz um buraco raso com a pá, tenta imitar as covas em que deitaram as mudas de fumo

— Guri bonito!

8.

Alice volta dos porcos e das galinhas toda enlameada, deixa bater a porta da sala, sabe que fica bonita adornada de barro e para assim diante de mim, tenta fixar os olhos muito fundo, além do meu reflexo, como faz o irmão, mas os olhos param no espetáculo dos cabelos soltos por cima dos ombros, as sardas do sol, a boca cheia. Arranja o cabelo no cimo da cabeça em torno da coroa imaginária, desta aldeia até à Candelária são umas cinco ou seis horas de viagem, sem paragens, ouvi a Alice às contas com o gajo do lote vizinho, ele já fez dezoito e sabe conduzir, vai levar a rapariga do município ao lado, e vai levar também a Alice, que ele diz que é a que tem mais probabilidades de ganhar o Musa do Sol, eu francamente já não sei, ele diz essas coisas para que ela ache que são mais ou menos namorados, mas para a Alice ganhar o Musa do Sol ainda falta encorpar um bocado, trabalhar as ancas, isso é o que eu penso, não sei, uma viagem até à Candelária vai custar demasiado, ela já arrecadou alguma verba na feira da cidade, fez os cálculos aqui na mesa, mediu os números enquanto media em mim as proporções entre o nariz e a boca, otimista, se não pelos números ao menos pelos lábios carnudos deu saltos de alegria e foi-se meter com o gajo. Ainda faltam alguns meses até ao verão, pode ser que a Alice ganhe ancas, essas coisas mudam depressa.

Agora empurra o peito para cima a analisar também essas probabilidades, parece satisfeita. A base de comparação é apenas a Maria, que é ainda nova e um pouco gorducha, também a Guerlinda que já vai pelos trinta e cinco anos, toda exaurida do sol, eles querem musas do sol e não seus despojos. Eu tenho para acareação também a irmã de Carlos quando miúda, não nesta sala, na outra, de onde me trouxeram depois, ela era também muito bonita e bem mais dada a obedecer na questão das plantações e dos porcos, não ensaiava uma boca assim diante de mim, se calhar nem tinha coragem de olhar os peitos no espelho.

Nessa época a irmã do Carlos passava gentilmente um pano em toda a minha superfície, vivi anos sem manchas, ainda mais reluzente do que quando me compraram na loja de antiguidades para servir de dote ao avô do Carlos, eu que já tinha refletido clássicos azulejos de Lisboa fiquei ali a refletir as falsas porcelanas baratas mal assentadas no chão, a ouvir as insígnias da oferenda, a família da noiva a atropelar-se na descrição do meu valor, um espelho estilo Dom José, fundo em jacarandá.

Depois de o Carlos se ter casado e de me ter pregado a esta parede, se não fosse a Alice eu não existia para ninguém. Se calhar por aqui fomos todos esquecidos, chega a fazer temperaturas negativas, uma vez ou outra cai até uma coisa parecida com neve, o frio europeu olvidou-se aqui ao fundo deste país, devem ter achado que estavam na Europa e que ficariam ricos com a quinta e todos os assuntos do tabaco, não é? A Guerlinda irrompe na sala com quatro beterrabas acomodadas na dobra da longa saia

— Já não pedi a lenha, Alice!? Desse jeito não sai almoço né

e a Alice não disfarça o ensaio sensual, ainda deixa os cabelos penderem devagar, cedem lentos porque talvez estejam um bocado sujos, também pelas inúmeras vezes que lhe passa as mãos,

— Aproveita e vai chamar teu pai nas cebola daí

— O que vão matar agora?

— Vou matar tu se não correr logo daqui buscar essa lenha

— Se matar o Jackson não sei do que sou capaz

— Não é capaz de coisa nenhuma, é o que parece né

e quando os cabelos terminam de pender da amálgama do cimo da cabeça a Alice olha a mãe em mim, não se vira, olha para ela dentro de mim e aí sim parece que talvez veja algo mais fundo, se calhar é isso que o Pedro vê de tão infinito quando me olha: a própria família que fica atrás e ao mesmo tempo na frente dele quando mira o espelho.

O melhor mesmo era não matarem animal nenhum, passou apenas metade do ano e decerto já gastaram muito mais do que metade do dinheiro que lhes sobrou da venda do ano passado, às tantas vão precisar de vender os porcos,

— Vai ligeiro, fala pro pai matar qualquer um menos o Jackson, já vai dez dia que não se come bicho nenhum nessa casa né

A Alice sai em direção às cebolas

— Na volta apanha a lenha, guria

e bate com a porta, não dá p'ra perceber se vai trazer ou não a lenha, a Guerlinda deixa caírem as beterrabas no lava-loiça e soçobra num suspiro, a cara mergulhada no pano.

9.

A Alice vai lá até o pai nas cebola, dá um abraço por trás e ele abraça de volta só um pouco, com as mão de tera e eles vêm andando até mim. Ela descansa no meu capô os pé em cima do meu farol, no farol da direita, que não acende mais, eu não fico chateada que eles não conserta o farol eu entendo, uma caminhonete tão velha não pode ser acostumada com luxo né.

O Carlos não queria matar um porco não hoje que tá se sentindo tão cansado, coça o pescoço com a pá pequena e cheia de tera mas se a Guerlinda pranejou não dá pra ficar sem almoço que ela deve tá fazendo só qualquer coisinha pra acompanhar o porco né, e capaz que separou a tarde pra eles carnear o bicho todo e então os dois para de prosear parecendo que acharo a solução mas não acharo e ficam lagarteando no sol, o sol que num inverno desse num chega a esquentar minha lataria. O Carlos dá uns chutinho no meu pneu com as roda cada vez mais perto de afundar na tera.

A Alice precisa pegar a lenha é bom os dois ir logo mas o pai não sei o que é que dá, já não é o Carlos de antes, ele nem ri mais né. Antes montava em mim e metia toda a família pra dentro e as fruta na minha caçamba e ia cantando ou fazendo graça com a piazada, a Maria ainda pequena o Pedro nem existia era outro o Carlos quando fomo passar o dia no Parque Tchê, escoregar no tobogã, as guria não sabia ainda o tamanho que era o escoregador e o Carlos dizia que ia ser do tamanho de um prédio e elas comparando a imaginação com cada prédio que elas lembrava perto da feira na cidade né, então elas foro cantando muito alto animadas com o tobogã pulando na minha caçamba. A Guerlinda com os cabelo pra fora da janela fechando os olho contra o sol o soriso bem aberto o Carlos pedindo pêssego que mordia com a casca, babava no meu volante e ria.

O Carlos agora diante da filha mais mocinha, ele não querendo matar o porco porque não sente mais vontade de viver né e fica estranho uma tarefa assim tão cheia de morte, é isso que o Carlos capaz que pensa diante do meu farol queimado e da mais bonita das duas filha, os dois em silêncio ele pensa que quando não tava assim contaminado tinha vontade de viver né mas nem percebia, isso não era uma coisa que a pessoa acordava e lembrava a vontade que tinha de viver né. Já a falta de vontade a pessoa lembra a cada instante daí. Todo mundo nota, já dizia o povo, pela cara se conhece quem tem lombriga.

Como que ele pode matar um porco que tem muita vontade de viver, como pode terminar um porco se não tem vontade de terminar coisa nenhuma né ou então tem vontade de terminar muito mais que um porco.

Quando eles desencostar do meu capô vão passar vários dia sem vim aqui perto de mim a não ser que alguém vai molhar ou apanhar as cebola ali embaixo né, faz tempo que eles não inventa que precisa de coisa da cidade e me entra tudo feliz pelas porta e a Maria pedindo pra ir na frente a Alice pedindo pra ir na minha caçamba feito uma caixa de fruta, pra que serve uma Rural que quase não anda, serve menos que um homem que quase não vive, eu acho né.

Se me deixarem tanto tempo aqui sem ligar é capaz que fiquem na mão, é como dizem, não há laço que não arebente nem argola que não se gaste né.

No começo do ano fui com o Carlos e o vizinho vender o fumo, a caçamba cheia de fardo, na volta o vizinho

— Ano que vem tu leva a melhor

e o Carlos na ponta dos casco, dando muro no volante

— Tava tudo perfeito, uma folha mais linda que a outra

— Eu sei, cambada de desgraçado

— Tão me roubando, tem anos que eles me rouba, qualquer dia me oferecem cinco pila na arrouba

— Capaz, uma folha tua vale mais que eles tudo junto

O dinheiro pouco que era praticamente o dinheiro do ano todo numa caixinha no meu porta-luva sem pesar quase nada, a vontade do Carlos de viver também pesando muito pouco mas na época ainda tinha força de xingar agora nem isso

— Ainda tem outras leva, na próxima a gente arma um motim

— As folha da semana que vem tão perfeita. Se não me derem um BO1 não sei do que eu sou capaz

e o vizinho ria

— Tu não é capaz de nada, mas deixa que Deus se encarrega!

— A colonada tinha que se unir, segurar o fumo no paiol, daí eles ia pagar BO1 até em farelo de baixeiro né.

O vizinho tinha conseguido uma avaliação boa nas folha mas também só dessa vez todos os outros anos vendeu mal, não importa o quanto bonitas as folha podiam vir banhada de ouro,

— Daí o colono perde a cabeça e entrega um monte pro atravessador...

— Isso eu não faço... que eles tascam uma baita multa se depois falta fumo.

O Carlos agora alisa a barba espetada a Alice diz que vai ver a coisa das lenha e sai dali o pai fica parado um tempo na minha frente, penso que vai abrir minha porta e sair guiando pra nunca mais. Me faz um carinho no farol quebrado e anda devagar na direção dos porco.

10.

A Alice dramática no chão da sala sentada ao pé de mim, a lenha já na fornalha da mãe, e tapa como pode os ouvidos, mas não deixa de olhar em mim o seu reflexo com os ouvidos tapados, não quer ouvir os porcos e quer mostrar que não quer ouvir os porcos, e quer ver em mim como é bonita de ouvidos tapados para não ouvir a matança dos porcos, de cada vez que um porco grita e o pai volta espirrado de sangue ela tem a certeza de que esta família contém as piores pessoas de toda a região, monstros. A televisão passa um filme dublado com porcos falantes. O Carlos entra na sala sem sangue e sem nenhum porco, uma galinha morta a pender murcha das luvas, toda espicaçada de brigas no galinheiro, ainda pinga sangue sobre o soalho,

— Mas Carlos!

— Não consegui

— Eu já tava ali com o moedor, no sábado vai ter a feira, ia levar o salame, prometi pra Maria o torresmo daí, por que agora uma coisa dessa, não te entendo, homem

e ele não diz mais nada, deposita o frango sobre o lava-loiça e a Guerlinda começa logo a arrancar as penas antes mesmo de parar de protestar. A Alice sai de casa a correr, se calhar vai ver os porcos e tentar adivinhar qual deles é que foi salvo hoje por essa dor do pai.

O Carlos repara em mim, há muito tempo que não o faz, até se espanta com o próprio rosto no meu reflexo. Aproxima-se, de facto deve ter envelhecido dez anos em três ou quatro, tem o quê, quarenta, quarenta e pouco, está arruinado. De repente caem duas lágrimas muito densas, tão velozes que ele não tem tempo de as amparar antes que corram o rosto todo e desapareçam na barba, está tão assustado com as lágrimas não calculadas que vem mais para perto de maneira a conferir que estão apenas no homem do reflexo, não nele, mas logo depois caem mais duas, quatro, ele enxuga-as depressa, que lágrimas são estas que não podem ser dele, não deram nenhum aviso.

Se a sogra ainda cá vivesse, a Elvira, soltaria a sua súbita gargalhada e marcharia ela mesma ao celeiro, ainda levava a Alice para a ajudar a matar o animal, que à avó ela sempre obedecia. As saudades que tenho daquela mulher.

Agora a Guerlinda a limpar o frango muito agitada,

— Sabe, Carlos, que outro dia deu na televisão que tem tantos assim que nem tu por aqui por causa dos veneno né, tu pega no veneno mais pesado, deve ser isso, contaminou as tuas veia daí

o Carlos ainda absorto no transbordamento dos olhos, talvez a culpa seja minha, ele não estava pronto para se ver assim no meu reflexo, mas eu estou aqui para a verdade dos factos, nada mais e nada menos,

— Agora não sei como faz, tem de ir no postinho na cidade pedir um remédio pra tu, não dá pra ficar desse jeito né, cada vez pior, agora nem dá conta de matar porco... Aquele lá, o Antônio mesmo, ele foi na consulta antes de

O António foi ao posto de saúde e tomou remédios e não adiantou, a Guerlinda sabe e arrepende-se no meio das entranhas do frango caídas no balde,

— É que o Antônio já era uma coisa assim mais na alma né, tu ainda tem jeito

o som das cabras começa a ficar mais perto da casa, o berro, o sino pequeno atado ao pescoço, o Carlos ainda em choque com a aguaceira silenciosa que lhe cai da cara,

— Aquele hospital depois também, onde já se viu, devolveram um resto de homem, coitado

— Mãe! A Madonna quer entrar na casa

— Não, que acabei de passar o pano! Aquela família... Imagina devolverem um homem daquele jeito...

a cabrinha cada vez mais animada a trepar para o batente da janela, a espiar a sala, consegue atiçar um sorriso do Carlos, que diz

— Deixa, Guerlinda, eu passo o pano de novo

e como essa é finalmente uma vontade do Carlos, que não tinha mais vontades nenhumas, a Guerlinda cala-se enquanto a Madonna saltita no soalho da sala e morde a camisa do Carlos até puxá-lo para baixo, e ele fica ali vergado à altura dela. A Alice vai lá fora ordenhar a cabra mais velha, a mais velha chama-se Aurora, que é o nome mais bonito desta família, a Aurora eu só vi pequena, agora deve ser muito grande para entrar em casa.

— Minha Nossa essa cabra arrodeando a televisão, segura isso!

O Carlos já está deitado no chão a proteger a cabeça das patas da cabrita toda contente, de um lado para outro na azáfama típica das cabritas, a Guerlinda agora esconde o riso nas beterrabas

— Quero ver passar mesmo esse pano daí

e o homem refaz-se depois das cambalhotas com a cabra e ajeita o cabelo ainda sentado no chão. Entra no lamento sobre o vizinho:

— Não podiam ter devolvido o seu Antônio daquele jeito, nem consegue puxar o ar pra encher o pulmão

— Soube que dói até pra falar né

— Era melhor terem deixado ele conseguir o que queria

e a Guerlinda faz o sinal da cruz com a mão molhada, uma água benta aspergida no peito,

— Não se deixa uma pessoa morrer, Carlos. O porco, isso sim, o porco a gente pode matar.

II.

Maria vem correndo lá da estrada muito animada, a mochila chega a tombar na terra e ela tem de voltar e apanhar. Em dias assim secos vai e volta da escola tranquila, mas quando chove demais a perua não passa nos pontilhões. Daqui de cima da minha copa posso ver os primeiros, são muitos pontilhões até nós e depois até a escola. Nesse ritmo, deve ser mais de uma hora, uma hora e meia até a escola, ela sai tão cedo.

Logo mais eles sobem aqui e me fazem uma poda boa, daí já não enxergo lá na frente depois da curva, depende se este ano vão podar as folhas de cima.

Já me contou seu plano, não vai acontecer com ela o que houve com Alice. Quando fizer treze ou catorze anos e a perua deixar de apanhá-la para o ensino médio, vai se mudar para outra coxilha, onde tenha escola rural, ou vai se mudar para a cidade, pode ser a mais próxima mesmo. Eu perguntei como, mas ela não escutou. Perguntei tantas vezes que plantei a pergunta dentro da cabeça dela, mesmo em cima do meu balanço ela ameaçava um choro. Então eu quis arrancar a pergunta como deviam fazer a mim, deitar pelas raízes, mas já não dava.

Começou a se entreter com outros projetos, se não fosse na cidade próxima, ela sabia que tem uma que se chama São José dos Ausentes, seria fantástico morar numa cidade com esse nome, a cidade dos que não estão, pertence só a quem pensa em fugir para lá, os ausentes. Uma vez que se chega na cidade, já não é sua. Ou então tem também Paraíso do Sul, ela disse, que talvez seja a melhor de todas. Só não gosta de Agudo que tem um nome pontudo.

Aurora está solta e corre para festejar Maria, mas é muito gigantesca, a cabeça dá quase um golpe no estômago, ainda bem que é mocha. Ao mesmo tempo que cabeceia solta berros e dá cascudos no colo com as patas. Só com muito amor é que se pode aceitar esse carinho de cabra. Eles sabem tanto de amor.

Alice aparece e já vem ao meu balanço, apenas para impedir que seja da irmã, e Maria vem também, apenas para estar com a irmã, porque não há motivo nenhum para ficar agora ao pé de mim, não há nem muito sol hoje,

— Papai não matou o porco, Maria

— Não acredito

— Achei tuas canetas. Tavam no chão daí

— Mentirosa, tavam nada

e mesmo enquanto brigam Maria começa a gentilmente balançar a irmã. Está frio na minha sombra gelada, Maria apoia a mochila no chão para balançar melhor a outra.

— Não sabe o que a professora contou

— Não quero saber, Maria

— Ano que vem já posso ser minivereadora

e Alice dá uma risada imensa, a cabeça pendendo para trás, igualzinha à risada da avó,

— É sério! Chama Minicâmara, se eu for eleita apresento até projetos, tiram fotos com microfone e placa com meu nome, na cidade

— E quem é que vai votar na Maria de coxilha dos quinto dos infernos?

— Não sei direito como funciona mas eu vou fazer campanha em todas as picadas da linha, tu vai ver se não ganho

— Por mim tá bem, tu ganha o prêmio de vereadora e eu o de Musa do Sol, vão até comprar mais tabaco nosso né

— Besta, eles já compram todo o tabaco

— Mas vão comprar melhor

— Isso vai ser um projeto meu, um juiz que avalia as folhas na hora da venda, não só a firma. Um juiz que entende de tabaco bom

— Besta é tu que acha que se eles podem comprar todo o fumo não podem comprar uma merda de juiz

— Isso vai ser proibido também né!

Maria cansa de empurrar o balanço, apanha a mochila e vai até a casa. Quando Alice fica sozinha o balanço parece que me pesa mais. Muito lento, até parar de vez. Ela saca o telefone do bolso da calça e tenta muitas fotos, mas a minha sombra desagrada. Ela desiste e fica vendo as fotos de um outro dia, quase todas com a mesma roupa, no mesmo lugar, uma ciranda das imagens de sempre.

12.

O frango rendeu um ensopado avermelhado de tomates e cebolas, a Maria só não revela a frustração por não haver torresmos porque está a fazer de conta que será minivereadora para o ano que vem, enquanto fala chega a mirar-se em mim, talvez para ver se a voz de minivereadora encaixa no seu reflexo, não recebe muita atenção, a Alice volta a falar do concurso Musa do Sol, que também é no início do próximo ano, a isso a Guerlinda replica que o complicado é chegar lá, mas a Alice já planeou tudo, disto até eu já sei, não há o que ela não arranje deitada neste sofá, não é?

— Mas e roupa, Alice, onde vai arrumar daí

— A roupa é quase nenhuma, um biquíni, coisa assim, a musa é do sol né!

A Maria tenta trazer de novo à baila a história da Minicâmara, o pai já tem a barba imunda do ensopado que está muito aguado e que por isso escorre, certamente não sabe a nada, insípido, não houve tempo para deixar engrossar porque a Guerlinda não tinha planeado isso, tinha planeado o porco, mas nesta casa agora parece que não se segue mais nenhum plano, para o Pedrinho também está difícil comer assim tão líquido, o miúdo todo molhado de sopa,

— Falta um pouco de gosto, Guerlinda, acabou a pimenta?

— É que não deu tempo de pegar sabor no caldo, eu avisei né

— Eu só preciso saber, viu, pai, como chegar na cidade quando tiver o evento da Minicâmara

— Se for uma vez só eu te levo, filha

— Depende do dia, Carlos, que aqui tem sempre serviço, não dá pra perder quatro braços numa mesma tarde, fora o diesel da Rural que o troço bebe que só né

aliás hoje é dia de queimar o lixo e os galhos da poda, a Guerlinda não deixa que se esqueçam, logo que terminem de almoçar têm de ir tratar disso. Não sei onde queimam o lixo, deve ser muito longe porque demoram-se sempre muito e não entra fumo pelas janelas. Se a Alice for a Musa do Sol pode ser que os pais experimentem alguma satisfação, a foto sai em todos os jornais da região, as terras com internet só vão falar nisso, talvez os jovens tenham vontade de fazer alguma coisa jovem de facto, que não seja arar o solo e deitar adubos à terra, e depois venham todos para aqui comer bolo, se calhar trazem uma guitarra, arranjam bebida para comemorar, e por toda a parte em todas as aldeias e ainda mais para lá da Candelária todos vão saber que aqui neste resto de país vive uma rapariga belíssima.

A cabrita Madonna berra lá fora, quer voltar para dentro de casa, talvez faça frio para um filhote, a Maria queria repetir, mas o ensopado acabou, consegue rapar do fundo umas cebolas cozidas, será que já se apanha alguma fruta madura lá fora, acho que deve ser difícil, com o frio que faz, se a Alice ajudar a moer o trigo amanhã conseguem fazer pão, um pão enorme, ou ainda esta noite ao serão, se terminarem tudo mais cedo.

O Carlos levanta-se e sai para beber o mate, sem dizer nada, não sei se já se esqueceu do lixo, enquanto ele sai todos olham quietos, até o Pedro. Sair de casa em silêncio parece de repente um ato grandiosíssimo, e a eloquência disto começa a perturbar a Maria, que disfarça a limpar a boca ao Pedro, pronto, já não estão todos a olhar para a porta, se ela está a limpar o Pedrinho, tudo está bem.

— Papai tá envenenado, mãe

— Fica quieta, Alice

— Tô falando sério né, deve tá assim de tanto defensivo, não viram o seu Antônio, tem vários outros desse jeito, tu sabe, o Otávio mesmo contou

— Filha, tu não tem nada que dar opinião.

Lavam os pratos em silêncio, que no fim de contas é o mais contagioso que há aqui, o silêncio, passa depressa de uns para os outros.

13.

O mesmo vento que me sacode bruto na galharia e me derrama as favas fica revolvendo os cabelos dos três, e vai depois espalhar a fumaça da fogueira. Aqui de cima ao longe vejo o debate em volta do lixo, não é tanta coisa, porque o plástico eles não queimam, levam para a cidade junto com os sacos cheios de potes vazios de veneno. Os sacos pretos imensos com os potes vazios, empilhados perto dos pneus da Rural. Eles me dão a impressão de um acúmulo nuclear, um perigo amontoado. Se não fosse perigoso não precisavam lavar três vezes, tem de ser exatamente três, bem contadas, três vezes cada pote vazio de veneno antes de ensacar junto aos demais. Só pode ser porque os restos todos juntos num saco escapariam numa explosão agrícola.

Agora o lixo que vão queimar é tão inocente que devem debater apenas se vão levá-lo na carriola ou nas mãos, e se têm tempo para transformar isso numa fogueira e desfrutá-la, contar alguma história. Só podem ser essas as dúvidas, Maria faz gestos amplos com os braços, o pai bebe o mate quieto, parece atento, Alice varia os olhos entre os sacos e a distância de onde está a carriola.

Nesses eventos de lixo Pedrinho não vai, fica lá para dentro com a mãe. Quando o menino começou a nascer estavam também os três queimando o lixo, faz dois anos e meio talvez, sim, mais de dois anos e meio porque era o tempo do aniversário das meninas. Fazem aniversário juntos os três, talvez porque só fosse possível se dedicar às fecundações depois de finda e inteiramente vendida a colheita, aqui simplesmente vivemos às ordens de uma única planta.

Dois anos e meio atrás, a fumaça lá muito longe e as vozes das meninas cantando, Guerlinda berrou da sala, Aurora berrou logo em seguida dando coices no ar, e quanto mais a mulher e a cabra berravam mais animais se juntavam cada um com seu canto de alarme. Também a agitação das galinhas que pareciam um tapete vivo ondulando em pescoçadas, depois o grunhido dos porcos, a gritaria foi chegando depressa até a fogueira e eles surgiram enfim, molhados de correr no verão e borrados de fuligem. Meteram Guerlinda na Rural e voltaram só três dias depois, o lixo ficou queimando sozinho.

As meninas tinham demorado só um dia para nascer, a mais velha veio logo pela manhã e não tinham passado nem uma noite fora. Mesmo que três dias não sejam nada no tempo das árvores, aqueles me custaram tanto.

Um vizinho veio jogar comida e água aos animais, só isso, não me contou nada, não explicou por que é que mais uma e outra noite viravam sem que ninguém voltasse, comecei a pensar que não chegariam os cinco. Não seriam cinco quando retornassem pela estrada. A Rural surgiria muito devagar, o motor engasgado, numa vontade de não chegar, e pararia ali, nas cebolas, e eu veria descer primeiro a Maria, que na época precisava pular com medo até o chão. E então a minha ideia variava, desceria a Alice carregando um bebê, e depois o Carlos, e fechariam as portas da caminhonete, não teria mais ninguém para descer dela, seria isso, um bebê sem a mãe, ou então desceriam todos sem bebê nenhum. Ou, pior, o pai e as duas meninas, somente.

Alguma coisa começou a tumultuar na minha folhagem, a fumaceira do lixo minguando, o baixo do céu ainda empesteado, eu pensei que talvez algum dos bichos tivesse comido um pouco das minhas toxinas, não muito, alguns dias antes, uma mastigada de leve, nem chegou a passar muito mal, ninguém percebeu, um frango fujão, uma cabra, e depois a Guerlinda foi lá e tomou o leite desse bicho envenenado ou comeu a galinha, e foi isso, começou a empurrar para fora o menino antes da hora, todo enjeitado de veneno.

É isto o que se passa às árvores quando são deixadas às pressas, ainda mais as tóxicas, começam a produzir frutos de pesadelos, e não há quem conforte um fruto podre, não há quem lhe preste notícias. Com a roça assim vazia comecei a sentir pavor também de que os bichos com fome ou solidão viessem comer as favas tóxicas e agonizar embaixo de mim sem que ninguém pudesse salvá-los, e quando enfim as pessoas voltassem — quantas e quais fossem — dariam com a morte inteira por aqui também, a carnificina ao meu redor, e assim como eles não me davam notícias tampouco eu lhes poderia pedir perdão.

Não sei o que passou ao Pedrinho, mas contei um por um enquanto baixavam da Rural, demoraram a tirar Guerlinda e o bebê, que não veio para ser enterrado ao pé de mim, não, estava vivo, um chorinho mais baixo que o dos cabritos recém-tombados das mães, minúsculo, escondido em cobertas mesmo naquele calor.

Neste momento, a fumaça do lixo sobe tranquila, eles bem agasalhados, hoje não veio muito sol, fica uma luz fria, embaçada, um vento chato me embaraçando os galhos mais finos, o ar uma coisa carregada, sensação que parece paz, e por isso mesmo aflige, é perigosa uma tarde que tenta imitar a paz.

14.

Saíro de perto de mim caregando os lixo na mão, não usaro minha caçamba nem mesmo a cariola, eu cada vez mais uma caminhonete parada, posso até ser um sofá de jardim uma laje de metal daí. Já tem tempo que não levam música nem dão muita risada em torno do lixo olhando o fogo, não sei o que diz Maria agora mas pela cara séria não diz que deviam enterar tudo até transformar em petróleo, daquela vez que ela disse isso Alice não riu talvez porque não entendeu mas o Carlos riu e se orgulhou da filha que era tão novinha

— Filha, vamo enterrar e voltar pra casa e avisar a mamãe que só temo de esperar uns ano e tamo rico!

Eu estranhei achei que nós já era rico ainda mais naquele tempo antes das seca e das geada, prantação que não acaba mais. Quando começaro o negócio os homem do tabaco diziam que nós era riquíssimo.

Agora os três queima o lixo quietos só esperando a hora de voltar logo pra lida, ficam apagado na fumaça e isso é uma coisa que deixa eles muito calado. Naquela vez que a Maria falou de fabricar petróleo enquanto passavam perto de mim a cariola com bem mais lixo, talvez comessem mais ou fizessem menos adubo né, não sei, a cariola até aqui de lixo e uns minuto depois o fogo já muito pra cima as nuvem parecia tosse de carvão, ninguém esperava aquilo, ter de largar aquele fogo alto assim de vereda, a Alice preguntou se ela não devia ficar aqui cuidando do fogo mas quem é que cuida de fogo uma hora dessas, pularo todos pra dentro de mim o Carlos que só me dirigia bem devagar tentou me botar na maior velocidade do mundo e pisava mais e eu pensando Meu Deus não vou dar conta, mas é o que dizem quem core por vontade não se cansa, e os buraco na tera o pneu batendo a lataria estalando a Guerlinda gritando que não podia pular desse jeito aquela dor no grito dela a água da bariga no chão as guria apinhada na caçamba metendo os braço pra dentro da janela sem saber direito se ajudavam a olhar os buraco na tera ou a abanar a mãe os vidro aberto de calor e a poeira grudando na boca no olho, que coisa que é ser uma caminhonete Rural toda feita pra caregar e corer e então deixar a família na mão logo na corida mais importante né.

Agora queimam o lixo em silêncio, não sei se é porque a fumaça lembra sempre que pode vir um grito de socoro, não sei, a família não é a mesma, dois três ano atrás também já não era a mesma não iam pro parque dos tobogã. Se o Pedro fosse guria ia chamar Virgínia, eles achava que era mulher porque sempre era mulher, Virgínia por causa do tabaco Virginia, o melhor, para os cigaro dos gringo só mesmo o nosso tabaco Virgínia, ia ser a guria mais envolvida nos negócio do fumo, ia odiar tanto cada vez que preguntassem por que se chamava Virgínia ia responder logo uma grosseria, ia dizer que era porque ia morer virgem, mas também ninguém pregunta por que o nome Virgínia então ia ser tudo bem mas de toda forma foi Pedro, um guri tão bom, um guri que entende que não cabe na casa mais nenhuma aporinhação, o pai não ia suportar se além do tabaco e do veneno tivesse um piá que chorasse o tempo todo porque não gosta da fralda não gosta da comida tem sono e não consegue dormir, não, o Pedro sabe e também pegou o silêncio dos outro. Um guri tão bom.

15.

Há quatro dias chove, em cima de mim e em cima de todos. É tanta chuva que quando terminar de cair a água eu mesma vou derramar muito tempo o que guardei alagado nas folhas e aí eles demoram a voltar pra debaixo de mim.

A Maria de manhã prepara a mochila, o lanche e o guarda-chuva, tem certeza que dessa vez a perua vai chegar, precisa chegar, deve ter chovido menos que ontem. Mas daqui de cima já vejo ao menos um pontilhão alagado, que dirá os demais, a estrada uma esteira de barro serpenteando pela coxilha. Dói ver a menina agasalhada, encapada, protegendo da água a mochila com as apostilas. Espera mais de meia hora, sabe que outras alunas, as de fora desta coxilha, que moram mais para perto da cidade, essas, sim, vão ter as aulas. Devem estar aprendendo tanto, ela nunca mais vai recuperar esses dias, ficará para sempre não sabendo o que foi explicado nas semanas de temporal, é sempre uma aluna menor.

Ela me disse que na praia, segundo uma colega, quando vai chover, fica um cheiro doce. Primeiro ela não acreditou, depois concluiu que é só porque antes de o ar se encher de chuva o cheiro é todo de sal, daí em contraste a pessoa acha que ficou doce. Essa colega também disse que as praias do Rio Grande do Sul são feias.

Se a Maria viesse para baixo de mim agora eu tentaria dizer isto pra ela, que ela entende a praia sem ter estado lá, então também pode entender a escola se faltar hoje.

Carlos vigia a plantação pela janela, a cada baque da água na terra ele contrai a boca e não sossega a vigília inútil, parece que se ele virar a cara ou for à cozinha beber qualquer coisa, então pronto, vai escoado o fumo todo. Essa chuva pesada justo agora que chegou o tempo da reentrada, o veneno assentado para dentro das plantas, o adubo pronto, depois se empoça dá aquela murchadeira, nós da natureza às vezes parece que discordamos de todos os planos. Não se pode seguir muito firme em plano nenhum que nos aborrecemos, os planos têm que ser os nossos. Mas não é bem assim, que se eu tombar daqui num raio e destruir o teto da casa também não terá sido um plano meu. A verdade é que não são todas as naturezas que conseguem amar os homens.

Se vierem as geadas, daí não sei, morro de vergonha. Direi a eles que não pertenço ao mesmo deus que as geadas, não somos do mesmo feitio. Se precisar digo até que sou mais humana, não compartilho a taxonomia com nada tão cruel, que sentido há em pertencer a tamanho reino de atrocidades.

As chuvas vão parar em um ou dois dias, eu prometo, é o máximo de umidade que se pode carregar num mesmo ar, a lenha está protegida da chuva, há bastante para comer, aquecer a casa, tomar banho. Os animais é que não sei, pobrezinhos, a molhadeira em que ficam, logo Carlos e Alice saem na chuva para ter com eles, os planos são insistentes, os planos exigem até mesmo sair na chuva gelada. Depois Alice deve se sentar junto ao fogo na cozinha e pingar tristíssima. Guerlinda é outra que já passou por aqui na chuva e não voltou ainda. Quando os dias ficam assim não sei se não conversam nada entre si ou se apenas não escuto, fica um barulho constante de força arrastando terra, e esse deve ser o pior barulho que se pode ouvir aqui.

O Pedro ainda era bebê de colo. A Guerlinda variava os peitos e com a mão livre resolvia qualquer outra coisa, não se pode parar um minuto com os planos, e então foi ficando um frio impossível, o vento parecia que me arrancaria finalmente do chão, acabaria com essa existência perigosa e sem sentido. Quero deixar aqui registrado que não há propósito nenhum em ser uma árvore se as pessoas não podem ouvir o que você grita, e com aquele vento na verdade ninguém ouviria o grito do que quer que fosse. Depois em vez de água o que chegava era gelo, as minhas folhas congeladas, brancas. Dentro da casa todas as carinhas nos vidros querendo fazer alguma coisa, era preciso fazer algo depressa, cobrir com um imenso manto a plantação inteira, livrar cada folha do gelo, percorrer correndo no frio todas as vergas secando cada folha de fumo, que no instante seguinte voltaria a congelar.

De que vale ser uma árvore, meu Deus, se é isto a natureza. Como segurar firme as raízes no solo sabendo que é assim que somos. As cabecinhas encostadas na janela, a respiração quente desenhada no vidro. Tive tanto medo que me odiassem, quis dizer que não sou isto, ou sou, não sei, matem-me logo daqui.

Naquela noite, o Pedro era bebê, é certo que ninguém dormiu, como se adiantasse vigiar o gelo que caía sem parar. Quando parou nem tinha saído o sol, o galo tremendo gelado ainda não tinha cantado, e já estavam os quatro, até Guerlinda, Pedro dormindo lá dentro sem descobrir como era o mundo, os quatro percorrendo a plantação tentando salvar o que podiam. Tantas folhas congeladas, queimadas, Guerlinda de joelhos arrancando punhados de terra e depois levando as mãos para cima, era ódio da terra e ódio dos céus. A Maria resolveu chorar agarrada no pai já que percebeu que não adiantava mais correr no escuro da madrugada para aquecer as folhas, só o que ficava do outro lado do vento se salvou, porque o gelo soprou mais amigável. Carlos não chorou para fora porque ele já estava inteiro constituído de alguma espécie de choro parado.

E mesmo no meio de tanta crueldade da natureza Alice foi chegando perto de mim e acariciou o gelo para fora das minhas folhas mais baixas, e dos galhos que ela alcançou. Mesmo no meio dessa ruína Alice enxugou as minhas rugas e acalentou a minha casca gelada,

— Coitada da árvore.

16.

A Maria entra molhada em casa, esperou com certeza pela carrinha na paragem como se a escola fosse resolver alguma coisa, sabe-se lá o que ensinam nas escolas daqui, não formaram com certeza nenhum presidente, saca da mochila os cadernos para conferir se estão secos, chega a fazer uma festinha no livro de história, a Alice também entra um pouco molhada, lança um breve olhar no meu reflexo, mas sai disparada para o sofá e enrola-se no cobertor a fazer ruídos de frio e a posar diante do telemóvel para duas ou três fotos,

— Não sei por que tu insiste, que diferença faz estudar tanto mais uns três anos se depois vai ter de parar também, sossega logo

— Daqui a todos esses anos já vai ter perua pro ensino médio também

— Pra quê, pra depois passar a vida aqui vomitando nas folhas

— Ou então eu vou conseguir vaga numa escola que dorme, eu fico uma semana lá e a outra aqui, o pai busca né. Daí eu planto aqui tudo que ensinam lá e pronto, a gente larga o fumo, apesar que é muito longe, mas até lá fizeram outra escola dessas e eu vou conseguir

— Ridícula. Ainda bem que não tenho mais aula senão iam me zoar de ser tua irmã daí

— ...

— ...

— Tá chovendo de balde, Alice

e a Maria acomoda-se também no sofá sob o mesmo cobertor, que a irmã estica até cobrir o corpo todo da outra, é uma miúda, mas ao mesmo tempo parece tão grande quando se chega mais para perto. A Alice ajuda a irmã a aquecer as mãos, esfrega nelas o cobertor,

— É só chuva normal, não vai dar nada

— Mas será que tudo bem chover tanto

— Não é tu que cuida disso, tu cuida das tuas contas, vai fazer as contas da lição

— Hoje as aulas vão ser de História.

A Alice alonga-se e alcança o livro escolar que está dentro da mochila da irmã, abre-o na página marcada com um clipe, vê uma foto,

— Então pronto quem é esta aqui?

— Não sei, vão dizer logo hoje!

— Não chora, besta! Tá tudo escrito aqui, tu não precisa de ninguém dizendo não. Vai, lê o que tá do lado da foto

— Carlota Joaquina

— Pronto, até eu lembro, fugiu de Portugal pra cá, ficou a vida toda tentando passar a perna no marido, fim

e a Maria fica um bocado de tempo a olhar para o livro, a perceber que é verdade, que ela pode mesmo mexer nos livros da escola fora das aulas, mas resolve sair e ir ao quarto ver o Pedro, ele está sempre tão quieto que nunca se sabe se está mesmo a dormir ou se está sozinho parado a pensar, não se deixa uma criança tão pequena a pensar durante tanto tempo.

A Alice vem agora até mim enrolada no cobertor, corrige alguma imperfeição no queixo, molda-o e aperta com os dedos, e faz o mesmo na barriga inexistente por baixo da camisa, enrola agora o cobertor como se fosse um vestido de luxo, fica bem de Musa do Gelo, melhor talvez que do Sol porque é muito branquela e a pele fica logo queimada.

O Carlos aparece na sala a arrastar as galochas, procura o chapéu de chuva para ir até aos animais, não o encontra, a procura exaure-o, não é possível ser feliz e ao mesmo tempo ter de procurar um chapéu de chuva para ir aonde não se quer ir, e não encontrar esse chapéu de chuva, não, a felicidade e essa vicissitude não cabem no mesmo homem e por isso ele desaba no sofá ainda aquecido das filhas, e a Alice de pé não pergunta o que foi, porque ela sabe, o pai contraiu uma tristeza profunda que não se cura, ela só piora porque há sempre um veneno novo para pôr nas plantas, e poucos homens do tabaco aguentariam tantos anos sem fumar, este mantém para si apenas das folhas mais feias, as que prejudicariam a venda, guarda-as num cantinho, dá uns vinte ou trinta cigarros para o ano todo, é o que basta,

— Pai… a gente deixou ali pra fora o guarda-chuva né, tá muito molhado, ia pingar tudo daí

O Carlos fica confuso com a súbita solução, já se tinha conformado com a ideia do sofá

— Pai, o senhor quer que eu vá?

E continua em silêncio, alguma coisa muito agradável conforta-o às vezes dentro da cabeça dele ou se calhar tudo fora da cabeça é que é desconfortável,

— Pai! Eu vou lá ver a bicharada daí, a Maria vai acendendo a fornalha pra mãe

e a Maria volta do quarto sem trazer o Pedro, que deve estar mesmo a dormir,

— Que foi, pai?

E a Alice encolhe os ombros e faz um sinal de silêncio, mesmo assim a Maria não se cala,

— Pai, que foi, é a chuva? Eu falei que tava um toró de água, ai meu Deus!

E ele emerge finalmente de um submundo movediço, está só cansado, é só isso, as chuvas passam já, já, nem está assim tanto frio, a Alice está até sem meias,

— É que molhou

além disso os animais ficam muito assustados, precisamos estar um pouco com eles, quem quer ir com o pai dar comida aos bichos, sim, à chuva, os porquinhos ficam cheios de lama, será que elas se lembram? Quem gostava de ir? A voz é tão afetada de encantamento que parece vir daquele outro espaço que o Carlos ocupou durante cinco minutos, um espaço profundo e longe, a Maria diz que é a Alice quem vai com o pai, que alguém tem de ficar aqui com o Pedro e acender a fornalha e escorrer os feijões que estão de molho, e mesmo com os planos ajustados ele não se levanta,

— Vai tu com o pai, Maria, eu cuido do fogo, do Pedro, do feijão. Anda, vai ligeiro

a filha mais pequena a segurar a porta, corrente de ar frio, o chapéu de chuva grande a vacilar ao vento, custa muito ao pai levantar-se.

Saem finalmente, e a Alice volta a estudar a sua imagem. Fica tão perto de mim que me embacia, depois larga o cobertor como uma toalha que cai sem querer depois do duche, apanha-o do chão e larga-o de novo, deve imaginar-se nua, ou se calhar que desfila no Musa do Sol, aproxima-se novamente, as duas mãos esticadas sobre o meu vidro. Fica muito tempo a olhar para mim assim de perto, pende a cabeça para o lado e chega-se, encosta a boca e dá-me um beijo repenicado, primeiro macio, carinhoso, e em seguida cheio de língua, gira a cara para um lado e para o outro, o meu sabor à fritura e oxidações e ainda assim ela lambe mais, aperta-se contra mim, fico todo marcado dela, se alguém entra aqui apanha-me nesta figura ridícula, todo babado e espalmado pela Alice, não sei quando é que isto acaba porque ela está cada vez mais entusiasmada, chega a afastar o rosto para ver-se de novo a aproximar a boca da outra boca, a minha, a boca que é falsa e fria e amarga, os olhos tão perto que já não pode vê-los e depois fecha-os, porque é assim que se deve beijar, de olhos fechados.

Cansa-se por fim, esfrega o cobertor em mim até espalhar bem os vestígios, o que sei eu do que sente um espelho beijado, ainda que eu seja exatamente isso neste momento, um espelho beijado, não sei o que sinto, não sei se ela quis beijar-se a si mesma, ao Octávio — o vizinho meio namorado que já tem a maioridade e a carta de condução —, ao outro vizinho mais comprido que também esteve aqui uma vez, a mim é que não quis beijar, e de qualquer forma se há algo que pode sentir um espelho beijado é a solidão da rapariga, a solidão duplicada e depois partida e esborratada e mais tarde desinfetada com um pano áspero inapropriado para espelhos, tudo isto muito inapropriado para um espelho, a Alice devia saber que é mais dolorosa a solidão assim tão escancarada, de todas as vezes que olhar de novo para mim vai saber que eu também sei, que as duas Alices sabem, já é ciência demais para uma única solidão.

Molha com óleo a lenha na fornalha, atira dois fósforos, agita o ar. Depois escorre os feijões.

17.

Finalmente um dia seco, ajustam Pedrinho no meu balanço e vão todos dar força no tabaco. Guerlinda ainda recua uma vez para puxar as cordas e conferir se estão mesmo firmes no meu galho, repete que não deve sair dali, se ele continuar a obedecer assim é capaz mesmo que se torne uma plantinha.

O adubo é com as mãos e terão de passar o dia todo abaixados, rastejam pelas vergas socando na terra. Carlos falou que precisam também replantar o que tiver estragado, sempre há as que não vingam, o difícil deve ser decidir quais é que não vingaram. No começo devem ficar rigorosos, replantando qualquer feiurinha, horas depois já toleram tudo, está pequena, mas deve crescer, esta tombou, mas vai subir torta mesmo.

Quando a mãe da Guerlinda morava aqui, a Elvira, ela dizia às netas que os pais teriam replantado as duas se tivessem o mesmo rigor que têm com as folhas. Falava muito séria, depois desabava na risada imensa que empolgava as galinhas, entoavam juntas o cacarejo. Alice ria, estalava um beijo na avó.

O que será que pensa o Pedro quieto embaixo de mim, dentro do agasalho feio, vendo toda a família engatinhando na terra, dando comida para as plantas, ninguém dando comida para ele. Nessa tarefa o menino não pode ajudar porque é capaz de meter a mão na boca e vai que engole um resto de inseticida. Talvez a ele pareça que o ser humano é assim, mesmo depois de aprender a andar volta a engatinhar de tempos em tempos e passa o dia percorrendo o terreno em quatro apoios, é o normal.

Começa a abrir o sol, não importa o frio, o sol sempre dói neles. Ainda bem que mesmo meio desfolhada de inverno sou a melhor sombra, Pedro está seguro. Quando Maria era pequena também a deixavam aqui, não neste, num outro balanço, aquele apodreceu, ficava neste outro galho, ainda tenho as marcas. Mas ela não ficava assim quieta, o balanço avançava veloz e ninguém via, eu no medo de que fosse arrebentar e a criança despencar, como é o costume das coisas das árvores. Depois voltavam os quatro: o casal, Elvira e a Alice, exaustos do que quer que tinham feito na lavoura o dia inteiro, e descansavam as costas no meu tronco. Guerlinda perguntava ao Carlos se parecia tudo certo e ele assegurava que sim, tudo sempre ia muito bem. A mesma coisa quando Carlos volta de vender o tabaco, tudo muito bem, e faz um afago no cabelo dela, hoje em dia acho que dispensa o afago, importante mexer cada vez menos os braços, a cabeça, Carlos entrou numa rota de silêncio e lentidão. A sua tendência a árvore.

Vão passar algumas horas até Pedro poder sair deste balanço, e se ele descer, não sei, a família já vai tão longe na verga que ninguém veria, às vezes penso que de fato o confiaram a mim. Aurora e Madonna vão chegando, o menino festeja as cabras sacudindo os pezinhos, o balanço vacila, Madonna o puxa pela barra da calça com os dentes e ele ri, segura mais firme, as mãozinhas apertadas nas correntes. Quero alarmar a família e não consigo, atenção, pessoal, talvez seja o caso de alguém ir voltando.

Aurora sabe que é gigante então só brinca com a cabeça, encaixa um carinho na barriga dele, ainda bem que as duas já nasceram mochas. Como Pedro não pode soltar as mãos do balanço, não retribui o afago. Fica rindo um riso de bebê que é um pouco um riso nervoso, de não saber se a cabra pode puxar muito mais do que isso, e de não saber nada, nem mesmo o que é uma cabra. Tampouco eu sei até onde a cabra pode arrastá-lo pela calça caso ele tombe do balanço e vá ralando as costas na terra, a cabeça chicoteando nas minhas raízes, nem eu nem ele sabemos até onde isso pode chegar. Um sopro agita e derrama uma porção de folhas minhas, folhas ainda molhadas daquela chuva que eu sempre guardo em mim. Menino e cabra se distraem com as folhas na cabeça, as favas tóxicas perigando despender.

Aurora e Madonna passeiam para outra direção, mas Pedro não fica tranquilo com isso, não, é uma nova sensação que ele descobre, de se apegar ao perigo. Não exatamente ao perigo, ao carinho ávido, voluntarioso, cujos limites não se pode conhecer e quando vai embora deixa esse vazio imenso de fim de adrenalina, essa química que as plantas não têm. Ele chega a balbuciar chamados na direção das cabras, elas não voltam, talvez isso seja uma espécie de apaixonamento. Pedro está claramente diferente de antes do medo, ele quer que a cabra lhe morda de novo a calça, agora ele já sabe como é, vai segurar firme e tudo bem. Ele precisa que ela volte e puxe com ainda mais força, e não sabe por quê.

Agora o sol está tão forte que já não distingo a família lá ao fim da plantação, os joelhos doídos, ano que vem Pedro já vai poder ajudar nisso e talvez pela altura nem precise engatinhar. Dá para ver Guerlinda de pé alongando as costas antes de ir apanhar mais adubo, não sei se conversam, acho que não, devem passar a tarde escutando as pás farfalhando a terra, um ou outro bando cantando no céu, mais nada.

Aurora e Madonna tornam na nossa direção, Pedro retesa no balanço, a cabrita dá um salto animada, ao que ele retribui com uma risada cautelosa, por certo o coração disparado. Desta vez as duas cabras fazem um charme, mas logo passam reto, deitam-se numa relva mais ensolarada longe do meu breu.

Pedro solta o ar, de repente um pouco mais crescido.

18.

As três com os cabelos molhados depois do duche, os joelhos esfolados e as colunas torcidas da lavoura. A Alice penteia o cabelo à minha frente com o pente a espirrar gotas no meu vidro, depois deita-se sobre o tapete. A Guerlinda bamboleia-se toda enquanto mexe a polenta, não sei como arranja forças para mais esta sequência de curvas, a Maria põe os pratos na mesa. A Alice fica estirada no chão ao lado do Pedro, o telejornal a preencher tudo o resto.

— Alice, vai ajudar a tua irmã né

— Agora não.

A lenha estala e a esta hora o ruído e o calor do fogo enchem a casa de sono. A Maria tenta ver os seus dentes no reflexo da faca,

— Mãe... E se não compram todo o fumo?

O Carlos vem muito lento do banho, os chinelos barulhentos circundam as meias, penso que não vai dizer nada porque lhe custa tanto dizer, ainda mais sempre a mesma filha, o mesmo questionário, a mulher a mexer no tacho sem adiantar resposta, mas ele fala, a voz sai aguda no início,

— Já tá tudo comprado antes mesmo de plantar, filha, as planta lá fora tudo já tem dono

e a Maria senta-se depressa em frente ao seu prato, um embaraço evidente,

— E se tu resolve que vai cuidar de tudo, é o quê daí, acha que teu pai não tá cuidando, só pode ser né?

— Não... eu só queria entender

— E eu já expliquei, tu que não entende daí
e a Alice resolve levantar-se do chão,

— É que ela passou muitos dias sem aula por causa da chuva e ficou burra

— Imagina tu, sem ir tem dois anos

— Chega, Alice, alcança depressa o pano lá

sentam o Pedro sobre as almofadas na cadeira, a Maria tem vontade de chorar, a boca entorta só um pouco nos dois cantos, come uma garfada de comida para desviar o choro. A Alice senta-se à mesa,

— Otávio me chamou pra ver um filme na televisão dele que é muito maior.

A caminhada até à quinta do vizinho é longa e a noite é fria,

— Daí vou voltar um pouco tarde

— Amanhã tem a poda dos pessegueiros...

— E eu com isso, mãe

— Temo um dia cheio né

— Vocês têm, eu se não quiser não tenho

— E de onde é que vem isso agora! Nunca vi em roça nenhuma uma guria assim.

— É só isso, que eu vou ver um filme, vocês que têm que trabalhar, não a gente né...

Os talheres começam a bater nervosos nos pratos, vão contra os copos,

— Faltava essa agora! A princesa quer viver de vadiagem aqui no lombo dos outro

— Vou ajudar, mas vou também ver a porcaria do filme em paz, porque quem tem de pôr comida na mesa são os pais e não os filhos né

— Se é assim dá a tua comida pra Maria e vai logo no Otávio, vê se a mãe dele te dá o jantar.

Pedro agora deu de jogar umas sílabas para fora quando não gosta do jeito das conversas,

— eite!

Não é que queira atenção, de maneira nenhuma, este já nasceu ciente de que nesta casa as atenções estão tomadas, uma só palavra a indicar o que deseja, leite, sol, sumo, tomate, e funciona sempre, já nem lhe respondem, apenas param a conversa em homenagem à palavra milagrosamente dita, entendem que na verdade ele diz Quero que parem com isso, e como ele é um garoto tão obediente nada mais justo que também lhe obedeçam de vez em quando.

Comem agora quietos, na mesa da outra casa não cabiam todos, na casa do Carlos em miúdo, e a mesa até era maior, mas eles eram muitíssimos, com o tempo minguaram, quando ele avisou que se ia casar a mãe já era tão doente que a alegria escapou numa tossidela, o arroz cuspido, naquela altura eles já eram poucos, cabiam todos sentados, os irmãos que eram bem mais velhos já tinham formado os seus destinos, o pai dele cumprimentou a rapariga, um bocado em português um bocado em pomerano, gostava muito da Guerlinda.

No dia da mudança encostaram-me aqui à parede sem nenhuma ponderação, porque era óbvio que depois me pendurariam num sítio mais bem calculado, dezasseis ou dezassete anos se passaram e nesta casa as coisas ficam facilmente definitivas, pregaram-me apenas à mesma parede, receando que eu um dia tombasse sobre a prole. O Carlos e o pai traziam tudo da camioneta e amontoavam depois no chão à minha frente. Depois de saírem de novo a Guerlinda começou a desencaixotar as coisas muito devagar, passava com a mão pelos objetos que não podiam ser os mesmos, assim numa outra casa ela estranhava os próprios objetos, tão jovem, acabou por reparar em mim, não a procurar qualquer encanto no seu próprio reflexo, não, certificava-se de que era a mesma rapariga e deve ter dito muito séria, para dentro de si, que agora tinha planos, muitos planos, e que ia segui-los com rigor, dia após dia, e naquela mesma noite manejou com destreza a fornalha e o tacho e ouviu o Carlos a explicar por alto como as coisas se iam passar, a maquinaria é pouca, a firma vai terminar de construir a estufa dentro de poucos dias, a mesa de ferro e os ganchos chegavam amanhã, e umas roupas de segurança, e a máquina para atar as folhas de tabaco, no fim do ano a venda é imediata, nada pode correr mal, todos os materiais, defensivos agrícolas, tudo chegava em breve, ela sorria orgulhosa do gajo que tinha estudado todas essas coisas durante tantos meses, só se casou depois de todas as certezas, ele já tinha mão para as plantações desde pequeno, mexia na terra como se fosse óbvia, o fogo estalava do mesmo modo de agora, a Guerlinda adorava muitíssimo aquele Carlos jovem e esta morada com este belo espelho apoiado na soleira da porta e futuramente pregado neste mesmo sítio, e a fornalha vigorosa e agora todos estes planos, era muito mais do que podia sonhar, ainda assim sempre que estava sozinha vinha até mim e olhava-me muito, respirava fundo, talvez quisesse guardar isto que ela era, essa quase criança, talvez ela soubesse que aquilo que ela era ia apagar-se demasiado depressa, por isso a cada oportunidade vinha conferir se ainda era a mesma, ou memorizar aquilo que ela era, hoje já me evita quase completamente, mas naquela época ficava o azul-aguado dos olhos parado em mim, por vezes olhava-me tanto e tão imóvel que eu tinha medo de ver surgir atrás dela alguém que não estava realmente ali, alguém que só era visto na sala, e não no reflexo, o que é o maior pesadelo de um espelho.

19.

A primavera aqui podia ser mais bonita, mas nem eu que sou planta colaboro. Minhas flores não são tudo isso. Aliás, não temos por aqui quase nada de flores, a não ser às vezes quando a bracatinga se anima. Ah! E os pessegueiros, estes sim, floridíssimos. E o tempo parece que não decide se vai ficar mais para inverno ou verão, funciona muito mais como uma marca do ano que avança. Vão arando, adubando, pulverizando, irrigando, cada dia uma praga diferente para combater, não sei onde é que anotam o que é para cada coisa, não erram, não há uma marca de mordida numa única folha, milhares e milhares de pés de tabaco perfeitos. Não há família mais talentosa, tenho certeza.

As meninas disparam correndo até o quarto das roupas de segurança, não sei por que Maria ainda compete, nunca chega primeiro. O veneno pega bem só quando está um sol muito quente, como hoje, que a primavera decidiu que seria mais para verão.

Quando Dumbo era vivo toda vez que Alice corria ele corria atrás latindo muitíssimo. Maria não corria, era pequena e ainda não mexia com os agrotóxicos, ficava no meu balanço quatro, cinco horas falando sozinha, depois caçava formigas na minha casca, espantada de como elas se apavoravam quando davam com um cadáver delas, as mãos para cima, um escândalo mudo. O Dumbo deitado na minha sombra colado nela, ele gostava de correr com Alice até os equipamentos, mas não queria saber de venenos, quando começavam os jatos já disparava de volta para cá. Maria tinha a menor mão da casa, o cão achava que nem era um carinho, insistia a cabeça para mais perto dela.

O cachorro inofensivo era um bicho diferente dos outros, porque era o único bicho que não servia para nada e por isso era o que elas mais podiam amar, talvez na época soubessem mais ainda de amor. Maria tinha quatro anos quando o Dumbo morreu, ninguém tinha o que dizer pra ela. Fizeram um velório rápido com uma vela, deitaram logo o corpo numa cova exagerada que o Carlos tinha cavado muito nervoso. Nunca tinha visto o Carlos cavar nada tão nervoso assim, ódio da terra dura, ódio do cachorro que ainda nem estava no tempo de morrer, ódio de ter duas filhas a quem teria de falar que o cachorro morreu.

Maria apagou a vela depois do enterro e ficou perguntando por quê. Guerlinda disse que devia ser alguma doença dos bichos, Carlos disse que ele deve ter passeado muito na estrada e comeu chumbinho, Alice sem motivo falou que era tuberculose. Mas eles não entendiam que Maria não queria saber exatamente o porquê dessa morte, mas da morte em si, que era a primeira e única que ela sentia, a dos porcos e galinhas não valia, sempre doía, mas essa era outro tipo de morte, do único bicho que não tinha função e por isso levava nele todo o sentido do amor, ele só estava ali para amar e fazia isso tão bem, e de sua morte não tirariam nenhum proveito.

Elvira vivia aqui e não gostava do cachorro porque ele assustava as galinhas e cavava buracos no milharal, mas foi ela quem achou o corpo lá longe — eles se escondem para exercer essa vergonha que é morrer —, e veio caminhando com ele nos braços. Chegou sem fôlego, engasgando na notícia que tentava entregar ao genro, o fardo pesando ainda quente e amolecido, depois afogou o choro nos pelos do cachorro morto, tudo neles é macio, os bichos e as pessoas, o poder da maciez que eu não atinjo não importa em quanto veludo e orvalho eu envolva minhas folhas.

Nunca mais tiveram coragem de botar outro cachorro neste lugar. Jogar a terra em cima do Dumbo foi a pior tarefa que tiveram de fazer, entre tantas tarefas penosas. Entender que aquele rabinho tão contundente não ia mais festejar o simples despertar de ninguém ali. Não havia mais nada lá que pudesse celebrar a mera existência de cada um dos humanos, todos morreram um pouco com ele e devem ter decidido que não, nunca mais enterrariam cachorro nenhum.

20.

É época de arrancar os brotinhos e só depois passar o remédio, a Alice fica teimando com o pai que não precisam de mim no começo, mas precisa, o tio Carlos diz, a Maria explica que as folhas deixam ela doente, ela fica vomitando cheia de dor de cabeça, mas a Alice diz que não tem nada a ver, que a Maria passa mal porque não aguenta o trabalho, é uma intelectual, daí faz vozes imitando a irmã, e no fim acaba me vestindo, eu na verdade agora vou ficar na Maria que é quem diz que tem a doença da folha verde, os outros ficam com as roupas mais rasgadas, e o tio Carlos nem coloca nessa hora porque ele já está mesmo acostumado com o enjoo, e fica feio um homem se proteger de umas plantinhas, eu acho.

Só que o meu braço é mesmo ruim, eu entendo, é comprido, quem aguenta um trem desse, elas torcem o pulso para puxar os brotos, têm de tirar também as flores, são tão lindas as flores mas precisa arrancar, e eu sou mesmo chata, acabam arregaçando minhas mangas, e então as folhas encostam nos bracinhos delas como se eu não existisse, misturam no suor, eu sei que não pode e desço o plástico das minhas mangas de novo e de novo e elas tornam a encolher para cima e me xingam, ficamos assim a manhã inteira, só na hora dos remédios elas me obedecem mais.

Mesmo ninguém aqui gostando de mim eu amo muito elas, quando me enviaram lá da fábrica no estado Minas Gerais eu tive muito medo de onde eu vinha parar e a Alice criança me tirou do plástico e cheirou minha borracha fresca e me pendurou com cuidado e até me fez um carinho, foi bonitinho demais, porque ela ainda não sabia que eu sou insuportável, e eu me senti a roupa de segurança mais feliz do mundo.

Não sei como é a casa delas mas não deve ser assim bagunçada como este quartinho e cheia de galinhas fujonas que bicam, vassouras caídas, quando me penduram de volta neste lugar eu me desmonto tanto que não tenho mesmo sentido, só sei fazer calor e atrapalhar, não protejo ninguém. Vai ver já tá todo mundo doente, eu deixo escorrer o remédio até pelo pescoço.

Se eu pudesse eu ia ser de outro jeito, talvez um spray que a pessoa espirrava em toda a pele e então bloqueava todas as maldades, ou eu podia ser também uma bolha em volta sem grudar em nenhum movimento, uma bolha bonita que brilhasse no sol que nem uma bolha de sabão gigante que não estoura.

Nesse lugar em que me guardam passo um monte de dias sem ninguém visitar, só me pegam pras atividades mais graves e é quando eu mais não dou conta, eles não disfarçam. Saem massageando os pulsos depois de torcer os brotos, acabam a tarde entortados na posição das plantinhas, as costas devem demorar pra esticar de novo, as pernas também ficam travadas de arrastar com os pés a terra toda e de vez em quando chutam montinhos, reclamam. É que pra arrancar todos os brotos de toda a plantação eles não podem ficar se levantando, vão assim abaixados e nem tiram os pés do chão.

É uma dor que eu nunca vou saber como é. Não dá pra ser feliz dentro de uma roupa como eu, acho que talvez passem todos os anos sem que eles me mostrem de verdade como é a alegria.

21.

Maria e Pedro brincam na minha sombra, já acabou o desponte de hoje. Maria segue descalça para poder arear as feridas. Passou horas retanchando as mudas, é preciso arrancar até as flores, que triste é isto, o tabaco sem as flores cresce mais forte. Mais bruto. Mas para isso eles precisam andar agachados arrastando os pés no solo, é bom que já fazem assim alguma aterração, e às vezes os dedos topam nas saliências, dores que as minhas fibras não conseguem imaginar.

Espero que quem algum dia venha a colher estes meus registros não lamente que eu não entendia de calos e torções, pois só eu sei, sozinha, dos buracos das larvas nas minhas cascas. E no fundo somos mesmo assim ilhados em dores particulares, que não venham dizer que Ah este é o problema de uma árvore contar história de gente, a árvore não podia nem saber o que é um pé infantil entortado de chutes na terra, como se não fosse a minha raiz também um pé entortado de chutes na terra.

Não marquei quando foi isso, meu tempo é de uma nebulosa lentidão, meus caules num emaranhado de décadas. O fato é que em algum momento me deixaram aqui sozinha, pode ser que tenham pensado da forma como sempre pensam os humanos, que eu com todo esse solo só para mim cresceria muito melhor, nenhuma competição sob a terra. Vai ver me isolaram aqui por amor.

Não há outra árvore à minha volta que me avise dos perigos. Quando me mordem uma folha, é sempre um susto. Meus impulsos não têm a velocidade do humano, é preciso um minuto para cada centímetro que meus defensivos avançam para as folhas. Nessa velocidade, já sou inteira refeição das lagartas e besouros. Tento de toda forma um alô para a bracatinga, a lonjura mal me alcança um aceno por baixo da terra.

Nossa gana de estar juntas e todas vivas é tanta que numa floresta se me tombasse um desses galhos mais fortes, as outras árvores ainda o manteriam vivo por muitos anos, bombeando açúcar. Ninguém cresce melhor que ninguém, os nutrientes todos distribuídos na justa medida de um vigor uníssono. Mas deve ter sido mesmo por amor que me deixaram isolada, tudo isso aqui só para mim. E de amor eles é que sabem.

Pedrinho sentado no meu balanço que é agora uma cadeira escolar. Maria ajeita o avental imaginário de professora, o menino presta a atenção que lhe demandam, os olhinhos inteiros na irmã,

— Abram o livro na página mil oitocentos e noventa e quatro. Pronto, agora leiam. Pedro, pode começar

o menino fica tímido, folheia na mão pequena o livro gigante inexistente e espera a aprovação da professora que é uma figura que ele não conhece, mas é plena de autoridades, ele que adora obedecer,

— Não estou escutando, será que estes são alunos que não gostam de estudar?

Maria encarna um professor qualquer perdido no passado dela, eu já sei desta história, ela mesma me contou no dia. Era ainda tão pequena, aprendendo a fazer as primeiras contas, repete agora com algum exagero para o caçula,

— As crianças têm que estudar porque os adultos precisam muito delas, estão ouvindo? Os pais de vocês não estudaram direito, é vocês que vão ajudar a resolver tudo em casa né, tudo que gente grande não consegue entender daí.

O balanço começa a vibrar de leve com o Pedro, quer seguir sua sina de ir e vir, mas o aluno todo concentrado, é preciso estudar muito para proteger a casa,

— Sabiam, crianças, que uma família de agricultores aqui da região estava prestes a cometer um erro fatal? Ângela, presta atenção, larga o cabelo da Paula! Então, como eu dizia antes de ser interrompido, os adultos dessa família calcularam errado o buraco da fossa, estavam cavando, cavando, iam atingir o poço de água limpa! Todos iam tomar banho e cozinhar com aquela água, beber água contaminada de esgoto, imaginem só daí?

Pedrinho reage conforme a entonação da irmã, imita o teatro no rosto dela,

— Se não fosse a filha deles, que tinha somente onze anos, onze anos, ouviram? Uma guria muito estudiosa, se não fosse ela, tinham todos provavelmente morrido de infecção. Enquanto o pai fazia a fossa, ela desenhou os caminhos do poço e do lençol de água que passava embaixo da casa, mediu os ângulos, os metros e, PÁ, interrompeu tudo num grito. Na hora ninguém quis ouvir, mas ela insistiu, e o pai olhou bem o desenho, foi olhar o poço, e parou toda a obra ali mesmo!

Alice vem chegando de longe, não sei em que humor. Maria está de costas,

— Por isso, crianças, vocês precisam estudar, precisam saber tudo que os pais de vocês não sabem

— Capaz, Pedro, sai daí que a Maria vai te deixar louco!

Maria se assusta e descompõe brevemente o avental escolar imaginário. Alice pega o irmão no colo para sair daqui debaixo de mim e levá-lo aos cantos da casa onde não alcanço o olhar e então infelizmente não posso registrar o que fazem. Maria recompõe o professor,

— Alice! Tu lavaste a mão antes de pegar o Pedro?!

— Eu tava-ía-me de luvas, oh mala sem alça

— Não custa lavar né, que ele vai ter enjoo que nem eu com a folha verde

— Que nem tu? Só se ele fosse um mentiroso cheio de frescura né.

Alice desiste de levar o menino, talvez porque a irmã tão sozinha embaixo da minha copa imensa seja uma imagem que ela não queira. Ou foi só porque Pedro está mais pesado. Deposita-o de volta no meu balanço, faz que vai para dentro de casa, mas desiste também,

— E esta aula é de quê, professora?

— Professor. De matemática

— A mais chata de todas

— Não é

— Eu tive um professor substituto de matemática que não tinha a menor graça

— Mas, Alice, o professor não tem que ter graça né, mesmo que seja substituto

— Uma vez, ele tava entregando as provas, assim, já corrigidas né, ele chamou meu nome e olhou várias vezes pra mim e várias vezes pra nota em vermelho... Tava circulada bem gigante, todo mundo conseguia ver a nota vermelha, de tão grande,

— Vai, eu sou tu, tu é o professor substituto de matemática!

Maria senta na minha raiz ao lado do irmão de repente alunníssima, ansiosa com a prova, o professor de pé olhando estranho para a prova que é na verdade uma folha imensa que ela apanhou do chão, mas não uma folha de tabaco, embora Alice não acredite na doença da folha verde também não vai sair acariciando o fumo à toa. O professor começa,

— Alice! Vem pegar a tua prova

e Maria levanta cerimoniosa no papel de Alice, caminha devagar entre tantos alunos, todos estão olhando e ela não sabe como é isso de caminhar pela sala quando se é bonita como a irmã. Alice — o professor — em vez de entregar a prova recua um pouco, olha de novo para a folha, depois nos olhos da Maria,

— Que pena, Alice,

o professor fala

— não se pode ter tudo, ser linda e ao mesmo tempo ser inteligente.

A aluna pega a prova, fica de pé com o olho arregalado na nota imaginária em vermelho, o professor se vira e sai na direção da casa.

22.

A Guerlinda ali debruçada sobre a mesa acaba de fazer os pastéis para o lanche, nesta casa nunca se diz pastéis de quê, sempre apenas *bolinhos*, devem ser de tudo o que sobrou do dia anterior, o cheiro a óleo fica no ar e com os anos forma-se uma crosta nas minhas bordas, custa muito ser um espelho numa casa pequena em que a cozinha e a sala se misturam tanto, o meu banho são os vapores do fogão a lenha. A televisão intercala dois crimes com dois problemas agrícolas.

A Alice chega silenciosa e lenta, o que não é do seu feitio, entrou aqui assim apenas uma vez e foi no regresso da viagem para o enterro da avó paterna, já no enterro do pai do Carlos só tinha ido mesmo ele, quase ninguém tinha visto o velhote, e nem valia muito a pena vê-lo, um homem sempre a dar ordens, a misturar o pomerano com um mau português, a Alice voltou da viagem do enterro da avó paterna assim quieta sem nem sequer fixar-se um segundo em mim e eu soube que tinha discutido com a mãe por algum motivo no carro, qualquer coisa sobre o Pedrinho que era ainda bebé, minto, houve uma outra vez em que a miúda esteve assim, bem antes de o Pedro nascer, a Maria tinha três anos e meio, quatro, a Alice lá pelos sete e pouco, a Maria esperava ansiosa pelo Pai Natal, enfim, nada disso vem ao caso agora.

A Guerlinda está a acabar de acomodar os pastéis numa travessa atafulhada de papel que fica imediatamente gorduroso, penso que vai ordenar algo à filha, mas até mesmo ela que não é espelho pode perceber que a Alice neste instante leva qualquer coisa desirmanada na alma, algo que se passou lá fora ao pé da árvore com a Maria e o Pedro, e ao mesmo tempo não importa a ninguém, não perguntam, e ela tampouco contaria, toda esta gente é assim.

Agora é a Maria que irrompe na sala no que suponho ser a ânsia pelos pastéis, mas corre logo para a casa de banho e começa a deitar pela latrina os enjoos de se encostar durante tanto tempo às folhas de tabaco, volta com feições de desmaio que a Guerlinda lamenta num tom que ela quer que seja de comiseração mas soa a enfado, a Alice emerge da sua tragédia pessoal,

— Pensa que pelo menos assim tu emagrece

instalam a miúda no sofá, a boca azeda, o olho fraco a cair para trás, o Carlos vem lá de fora com o Pedro no braço, sente a testa da filha com o dorso da mão, a Guerlinda senta-se ao lado dela e pousa a cabeça da cachopa no colo, um afago no cabelo suado, o Pedro preocupado chega-se até bem perto da irmã e imita o gesto da mãe.

— Às vezes é alguma coisa que tu comeu, filha, não sei onde é que tu arranja tanta comida, porque aqui comigo é que não é! Toma um banho, vai te ajudar a lavar a nicotina daí

— Não adianta, Guerlinda, se isso é da folha já tá no corpo né.

O Carlos não tem paciência para remédios inócuos. O Pedrinho não gosta do ambiente e pronuncia duas sílabas e meia da palavra *sorvete*, o que serve de deixa para que a conversa termine, a Maria levanta-se mais segura e vai tomar o duche, mesmo que a água não resolva está em todo o caso na hora de se lavar. A Alice agarra num pastel, come sem fazer nenhum comentário, é estranho nesta família dar-se uma dentada na comida e não se ditar em seguida um veredicto, ou fazer-se um arrulho de contentamento.

Depois jantam, falam pouquíssimo, murmuram sobre as qualidades da refeição, nada que valha a pena um espelho refletir, a Maria ansiosa com as suas doenças,

— Ninguém morre disso, sossega

fazem mais planos sobre os pessegueiros, e depois recolhem para os quartos, menos a Alice, que vai passar o serão com o Octávio, a contragosto de todos, que aqui nesta família acorda-se com o sol e ela bem sabe, ainda assim o Octávio chega e todos se fecham depressa lá para dentro para não terem de o cumprimentar.

O Octávio entra sem assunto e os dois começam o enrolanço no sofá, movimento que pareceria despropositado não fosse essa disposição dos jovens para dilatar todas as potências da libido, parece que é de constatar e reafirmar esta volúpia que tiram o mais absoluto prazer.

Ele vai-se embora, a Alice olha-me na penumbra, descabelada e húmida, os lábios inchados de uns beijos mastigados, batidos de dentes, sorri um tanto malandreca, é isto a felicidade, deve estar a pensar, e é só dela, ela fantasia com isso e sorri ainda mais jubilosa, não há outra pessoa nesta casa que saiba como produzir este elixir de comprazimento.

23.

Todo mundo do meu lado nos pessegueiro mas ainda não é hora da colheita senão já apinhavam minha caçamba de caixa pra ir vender na feira, então é hora só de colher alguns pra fazer as compota que são a coisa mais linda, uns pêssego brilhante de baba doce que depois ficam assim girando na calda quando o meu motor treme nas pedra e buraco da estrada uma lindeza essas compota, e foi por causa delas que a Guerlinda e o Carlos se conhecero né, na feira, ela não devia ter nem dezoito ano, ele vendia os embutido e ela as compota de pêssego que até hoje ela faz cada vez melhor, isso não foi na feira de cá foi numa outra feira mais longe daqui pros lado da antiga lavoura do pai do Carlos.

Já era eu a caminhonete da família dele mas eu era todinha um vigor um poder inteira coloridona ele voltou assim que nem enfeitiçado pelos vidro de compota apoiado no painel, trouxe umas geleia e os pêssego em calda girando girando a luz do sol embaçando na calda alaranjada, ele não se aguentou e no meio da estrada me encostou na beira, abriu o frasco, tava difícil precisou da bara da camisa depois bebeu a calda direto do pote e enfiou meio pêssego na boca, o encaixe assim na língua o açúcar dilatou os olho que ele mirou depressa no retrovisor pra confirmar se o olho tava igual que nem antes, não tava. Depois fiz só uma viagem pra casa dos pais da Guerlinda, tão novinha, o Carlos ajeitou a franga pra amasiar com a moça, o pai dela parecia já meio perto da morte né, se fez de salame, deu duas batidinha na minha lataria aprovando o casamento, que o medo do velho era morer sem casar as filha, a Elvira também pareceu aliviada de casar a guria, porque é o que dizem por boa que seja a erva, nunca sai bom o mate que se toma só.

E quanto ao pai do Carlos eu sou testemunha que ele até preguntou se o velho não vinha morar mais eles quando desenrolasse o lance da tera com a fumageira, mas o abagualado não quis nem saber do negócio. O tatu velho nunca abandona o seu buraco.

As flor do pessegueiro são bonita mas melhor ainda é quando aparece a fruta daí. A Maria apanha os do meio o Pedrinho pega os debaixo a Alice alcança os do topo, a Guerlinda vai pelo outro lado ajeitando a poda quando vê a cesta cheia manda parar que pras compota já basta, os outros pêssego ainda têm tempo de adocicar mais e então os guri apoia a cesta cheirosa no meu capô e voltam corendo pras árvore e começam a disputar o número de mosca em cada armadilha que eles construiu e pendurou dia desses nos galho, na área da Maria tem muito mais mosca morta, o que Alice nega sem se importar tanto, talvez tenha mesmo construído as suas com o desleixo de sempre tirando fotos meio séria do lado das flor, o olho torcido de sol, depois um vídeo mordendo um pêssego que escore pelo pescoço e ela ri e corta a gravação, o Pedrinho tenta contar as mesmas mosca que a Maria já contou mas ele só conhece três número.

Depois da contagem eles esvazia as armadilha longe das árvore, Pedrinho fica por ali jogando tera por cima das mosca e das fruta fermentada na armadilha, o chapeuzinho às vezes tomba e ele assusta com o solzão e calor no meio da cara né, alguém apanha o chapéu e enfia de novo na cabecinha ardida, as guria core até mim e apanha uns pêssego pra macerar de novo dentro das arapuca né, chegam a levar mais de uma hora nisso tudo, agora só umas gota de inseticida e um tantinho de água, o barbante encaixado nos furinhos mais uns dois furo embaixo nas garafa e vão disputar os melhor galho pra apanhar mais mosca, a Alice fica com as árvore do fundo e a Maria com as de cá, depois daqui uma semana vão contar as mosca de novo e ela vai anotar no seu caderninho de campo que ela diz que é importante se vem uma fiscalização que nunca veio né, mas de toda forma é ela quem depois sobe com o caderninho no palco da abertura da temporada dos pêssego na feira da cidade e pigareia no microfone pra depois dizer que as armadilha caseira foro um sucesso, um total de não sei quantas centena de mosca morta e o povo acha uma graça a guria que ainda é engraçadinha mas por pouco tempo, logo mais se torna uma moça feia, e tudo bem é o que dizem quanto mais feia é a grota melhor é a água, e por enquanto pode subir contente no microfone né e o povo tudo aplaude e uma vez teve até fogos de artifício.

24.

Passaram o dia de novo na poda do tabaco e agora arfam encharcadas de sol no alívio da minha sombra, gosto de ver os desenhos das minhas folhas projetadas nos rostinhos das duas. Maria senta Pedro no colo e faz carinhos no cabelo dele, na orelhinha, na bochecha tenra, e dói em mim não conhecer a maciez, o toque entre duas carnes moles. Repete dez vezes o nome Maria implorando que o irmão imite.

Guerlinda massageia os próprios punhos, gira em círculos as articulações doídas. O gestual humano é sempre inalcançável aos galhos.

Quando Elvira, a mãe dela, morava aqui, deitavam as duas também na sombra e Guerlinda se sentia tão filha que dava menos ordens. A cabeça da filha ia deitando no colo suado da mãe que não parava de torcer os pulsos doídos, então não dava pra fazer carinho na cabeça, não, era apenas o deitar e o colo. E então conversavam baixinho sobre o que cozinhar, discordavam sempre, ou da escolha ou dos modos de preparo, e quem vencia era Elvira. Agora que só tem os filhos ao pé de mim, Guerlinda vai logo para a casa pensar em silêncio nos assuntos da janta.

Carlos dorme há horas do outro lado da minha sombra, ou pode ser que esteja apenas de olhos fechados. Só agora as filhas o notam deitado atrás do meu tronco. Ia para alguma atividade quando recostou-se, as pernas desistem primeiro. Não parece uma vontade de deitar, é uma ausência de vontade de permanecer de pé. Mais do que uma árvore, o Carlos talvez esteja se tornando um tronco tombado, a imobilidade máxima.

Se eu pudesse também me deitava aqui, não sei se não estamos mesmo os dois contaminados, sinto cada vez menos ânimo de bombear meus alimentos. Era melhor se arrancassem minhas raízes e eu despencasse de uma vez por todas, ainda sobrava mais espaço para os cultivos da família.

De dia é ruim, mas de noite estamos ainda mais combalidos. Para ele a noite traz a insônia. Aparece tantas vezes aqui no meio da madrugada com toda a agitação que lhe falta pelas manhãs, eu me agito junto com ele, não dormimos. Não sou boa de aromas e chás calmantes, não sou boa em nada.

As crianças amontoam-se em torno do pai, que se esforça numa respiração ruidosa e vira-se de lado na terra. Maria apoia a cabeça dele na coxa e arrisca um carinho, muito leve. Observam as formigas, houve um tempo em que eu sentia o caminho dos insetos e me incomodava. Perdi um tanto da sensibilidade da minha casca, muitos anos de ventos, chuvas, geadas, o esgarçar do balanço, sei que há as formigas porque Alice aponta,

— Tão levando cada uma sua folhinha, olha, Pedro

As crianças sempre ficam maravilhadas com tanta organização e empenho, e eu quero dizer que a família humana também é organizada e empenhadíssima, mas os três estão ocupados em escutar as formigas, não a árvore. Toda vez que alguém está doente os outros param para acudir, e sempre que estão com fome a Guerlinda para e faz o almoço, e, quando está na hora de adubar, adubam juntos, e passam juntos os venenos. Aqui de cima os vejo de longe, são minhas formiguinhas.

— Alice, a gente tem que achar outro futuro.

Quando a Maria fica grandiloquente o comum é Alice perder o pouco da paciência que tem, mas agora apenas ri, cutucando minha casca com a tesoura de jardim.

— É sério, Alice, tem muita coisa pra fora daqui dessa coxilha né, sem o veneno e sem fumo... Não te incomoda ser assim... meio infeliz?

— Não sou infeliz coisa nenhuma, Maria

— Mas também não é muito assim cheeeeia de felicidade né... Que adianta a tua beleza trancada aqui só pros bichos e pro jaguara do Otávio, não sei como tu fica satisfeita pra sempre

— Vou ganhar o Musa do Sol, Sra. Infeliz, daí a beleza vai tá lá pra todo o Sul, e tu vai continuar inteligente sozinha aqui mesmo, não sei pra que tanto esforço.

— Tu que tem essa mania de não querer perceber tudo que é triste

— E pra quê, me diz, Maria, essa tua cisma. Ó as formigas, trabalham aí sem parar, não descansam, fazem tudo pelo grupo, sempre viveram assim né, e elas nem podem viver de outro jeito. Os colonos aqui são assim também, a gente é assim né. Vai me dizer que ia ser bom pras formigas descobrir que existem, sei lá, outras trezentas ou quatrocentas maneiras de um inseto viver. Que alguns voam, outros comem o que querem e não devem nada a ninguém... Olha aí, tu põe o dedo no meio da fila e elas já saem do rumo tudo desesperada pra avisar o resto, é só assim que elas sabem viver. Se elas descobrissem que tem outros jeitos, sei lá, de serem muito mais felizes, nada ia mudar, iam continuar fazendo tudo do mesmo jeito né, só que agora muito tristes, assim, sabe, tipo insatisfeita que nem tu daí. No fundo é isso que tu busca o tempo todo, Maria, deixar todas as formigas de agora em diante infelizes pra sempre né. Pra cima de mim, não, minivereadora, sai pra lá com as tuas manias.

Carlos enfim ergueu-se e saiu devagar, o passo arrastado. Não disse nada a ninguém, simplesmente saiu. As irmãs se olham cúmplices, nos seus assuntos de futuro e formigas.

Alice deita e ergue os pés numa cadeirinha levantando Pedro. Ele simula montar num pônei, que só pode ter visto na televisão porque aqui não temos montaria. Um vento breve espalha sobre eles minhas folhas, barulhinhos de paz.

— Tu vai ficar aqui, Alice, e ainda é capaz que cria teus filhos no fumo também...

— Capaz! Que filho, ô, Maria, e quem é que disse que vou ter filho daí

— Olha as coisa que tu fala, às vezes não entendo nem pra que serve a tua vida...

— Tu não lembra como foi quando nasceu esse piá? Aquilo é um pesadelo

— O Pedrinho? Mas é só o parto, Alice, mamãe não tá parindo sem parar até hoje

— Pedro, olha pra mim, tu quase matou a tua mãe

— Cala a boca, Alice

— E quase morreu junto, que bom que tu é um guri bonzinho, tu tem que valer a pena daí.

Maria apanha o irmão e o embala no colo, começa a cantar alto, tampando as orelhas dele, que não ri, mas continua muito macio e aconchegante.

— E é isso, Maria, como não vou nunca ter filho pra me retribuir tudo que a mãe manda a gente fazer, eu não posso ser obrigada a ficar ajudando em tudo. Depois vou ser velha e não vou ter ninguém pra cuidar da minha lavoura, então a mãe que escolha muito bem só duas ou três coisas pra me obrigar a fazer por dia

— Aonde vai agora?

— Rachar uma lenha pra janta

— Ah e isso é uma das duas coisas que a mãe pode te pedir hoje daí?

Alice avança na direção da bracatinga agora florida de amarelo e começa a debulhar o casco a machadadas que me estalam de aflição nos drenos e dutos, mas a mim não, a mim mal e mal extirpam um galho velho. É o amor que eles têm aos venenos e árvores venenosas, só pode ser. Maria fica falando bem baixinho com o Pedro, porque ele ainda não diz se entende, então não importa o volume,

— Pedro, por favor, fala comigo né. Fala meu nome, Maria, vai

e o menino sorrindo quieto, distraído com a fila de formigas,

— Vai, fala, Ma-ri-a...

ela sempre tenta, mas deve estar ele também de alguma forma envenenado,

— Pedrinho, quando Deus descer aqui, ele vai me perguntar se eu quero ser muito, muito, muito bonita, mas totalmente burra, ou se eu prefiro ser inteligentíssima, a menina mais inteligente do mundo, mas bem horrorosa. Daí não sei direito o que eu vou preferir, deve ser muito bom ser linda, as pessoas param de falar quando tu entra, e querem ser amigas, e os guris fazem roda pra falar de tu. Mas eu não quero ser burríssima, burra que nem a Alice já é ruim demais, essa casa corre perigo se tiver mais alguém tão burro, só que também eu não quero ser mais horrorosa do que eu sou, porque o tanto de feiura que eu tenho já tá bom, eu sou meio gorda, mas a minha cara é normal, eu acho, a mãe fala que se eu continuar engordando o cavalo não vai me aguentar no lombo, mas a gente não tem um cavalo!

Pedrinho cansa do colo e caminha até o balanço, mas sem subir, que ele não alcança ainda sozinho, fica escutando a irmã com as mãos esticadas na corrente do balanço, isso lhe basta.

— Então vou falar pra Deus ir embora como se nunca tivesse aparecido e não mexer em nada disso não.

25.

A sala dilata nos vapores da lenha, as paredes fervidas no sol do dia inteiro, ainda nem chegou o verão e ouso dizer que já vejo pior porque uma camada de calor fica orvalhada na minha superfície. Na mesa entre os pratos já postos a Maria relembra ao Carlos como escrever, ela diz que o pai lê pior que os miúdos da sala dela, ele fica envergonhado, noutros tempos talvez se agastasse e desistisse do lápis, agora continua a lição, talvez por falta de forças para largá-la, tateia a frase, gagueja no meio das palavras e enfatiza os ditongos, depois muito devagarinho traceja as letras que quer, e a Maria lê a forçar os olhos como se fosse a distância do papel a dificultar quando na verdade foram décadas de enxadas e torpilhas que endureceram a caligrafia do pai,

— Minhas... filhas são... lindas!

A Maria sorri, olha para a Alice, que não devolve o olhar, e depois olha-se em mim e entristece, não acredita muito, o pai só escreveu aquilo porque é muito difícil escrever A minha filha Alice é linda e a minha filha Maria é inteligente, ela segreda-lhe ao ouvido e manda-o escrever A Guerlinda é linda, ela faz um coração ao lado e ele sorri, a lembrar-se de que há Linda dentro da palavra Guerlinda.

Deixam o papel com o Guerlinda-linda num canto da mesa onde depois ela o veja e agora a Maria escreve qualquer coisa à toa para que o pai tente ler, Este ano venderemos muito tabaco bom, ele começa a ler muito alto e depois deixa minguar a voz, caso os homens não o avaliem como sendo do melhor tabaco a Maria quer ir com eles aos protestos, nesta safra será que vai haver protestos outra vez, talvez eles avaliem melhor o tabaco dos mais agitados para que eles não façam protestos, a Maria diz mais qualquer coisa e já estão as outras duas a olhar para ela a esperar que se cale, o Pedro no chão com um porquinho feito de palitos espetados numa batata e um boi de chuchu está preparado para interromper estrategicamente com algum pedido que os distraia, mas é a Maria quem cancela o assunto porque o pai não estava sequer perto de ter sido um dos agitadores dos protestos do outro ano, por isso aquilo que ela queria que fosse um consolo estava a tornar-se uma provocação, e de todo o modo o mais provável é que haja represálias e não um prémio por essas inflamações.

A Guerlinda traz o tacho meio à pressa, cuidado quente quente quente e a Maria põe depressa um pano por baixo, vão todos sentar-se, o Carlos empurra o caderno para o lado, mesmo com a comida tão cheirosa ele pede que a mulher lhe sirva bem pouco, de novo isto de não ter vontade de comer, mas também com o calor que fez hoje o que sabia bem era jantar pêssegos, apesar de agora o tempo já estar mais ameno, os miúdos comem afoitos, deitam o caldo por cima do grão e vão pescando os ovos cozidos, põem muitos feijões por cima, um festim. A Guerlinda repreende a Maria com o olhar e ela para de encher o prato, primeiro tem de se servir de pouco, só se depois quiser mais é que se repete.

O Carlos numa súbita lufada de mau humor repreende a Guerlinda pela quantidade de feijão, o dinheiro entrou no início do ano e agora já só há para o ano que vem, não dá para avançarem o ano no exagero de fartura, depois quem é que cuidará do futuro, os anos têm doze meses.

A Alice começa a mastigar e a falar ao mesmo tempo, que é uma maneira de diluir a informação no caldo,

— Otávio vem hoje

— De novo, Alice?

— Que é que tem, mãe, o pai e tu se veem toda noite e ninguém acha muito daí

o Carlos intervém já sem o mesmo vigor e numa lógica que vai para outro lado, não é o lado para onde a Guerlinda ia,

— Nesta casa todos gostam de mim, filha, posso estar aqui toda noite né, já do filho do vizinho não gostamos

— E por quê? Que é que ele fez, não gostam de mim e da minha felicidade né, isso sim

e a Guerlinda a sorver nervosa o caldo bate repetidas vezes com a colher na beira do prato, vejo frémitos de ódio nas mãos dela, o que sabe um espelho do amor de uma mãe? Sei dos olhares, sei de como essa mulher me olhava quando era nova e depois o olhar em cada gestação, o olhar de grávida que era outro e cada vez mais baço, os filhos no mundo, antes no ventre eram muito mais fáceis de amar, o marido contente a aquecer a barriga com as mãos grandes no inverno perto do fogo e a abaná-la no verão até voltarem juntos da cidade com mais um pacotito enrolado em paninhos, por isso como não entendo do amor sei dizer dos olhos que são agora nesta ceia olhos de ódio, não sei se é o calor no meu vidro, se o vapor que resta no fogão, mas um bocadinho de água começa a encortinar os olhos dela, que fala devagar, de modo calculado, p'ra que fique claro entre os feijões e os ovos que isto não é um vacilo, um engasgamento,

— Tu desde bebê não sabe me respeitar, Alice. Era botar tu num sofá pra tu se jogar, só pra me humilhar

e o Carlos olha para a Guerlinda com uns olhos que eu não vejo porque está de costas mas vejo nos olhos dela firmes nos dele, a Alice a comer tranquila sem perceber bem de sofás nem de *humilhações*, não importa o que digam vai ver o Octávio hoje, eles são é uns invejosos por não saberem mais sentir o que ela sente, há uma altura em que as raparigas novas precisam mesmo de vencer a inveja dos velhos estragados de venenos e curvaturas da lavoura,

— O Otávio que vai me levar pra Candelária no Musa do Sol, é bom tratarem ele bem senão pego o dinheiro do prêmio só pra mim daí.

O Pedrinho diz mais ou menos a palavra batata, e hoje não há batatas, não estavam boas ainda para a colheita, só apanharam uma para fazer o porquinho com as pernas de palitos, por isso é hora de silêncio.

A Alice era um bebé de cinco meses no dia em que se atirou do sofá abaixo e embaraçou a mãe, a irmã da Guerlinda morava aqui na altura para ajudar com o bebé, mas acabava por ajudar mais na lavoura, porque o tabaco era mais imenso e urgente ou silencioso do que o bebé. Veio a irmã e não a Elvira porque naquela época a Elvira ainda era jovem e tinha o seu próprio trabalho, porque se fosse escolha nossa viria apenas e sempre a Elvira.

A Guerlinda oprimida nesta sala a passear de um lado para outro com a primeira filha ao colo, a estranhar o peso no braço, as mordeduras nas mamas, começou a achar a irmã excessivamente bonita, ainda mais jovem do que ela, livre de filhos, as mãos disponíveis entre as folhas, a sombra da plantação a ondular-lhe no rosto enquanto ela percorria os pés de tabaco e talvez perguntasse ao Carlos, seria assim a poda? Será que é desta maneira que se põe o fertilizante? E ele a assentir tímido com a cabeça enfim descansada dos gritos do bebé, e a irmã entrava bonita por esta porta ao fim do dia suadíssima, ansiosa por um banho, às vezes ainda a rir de uma graçola qualquer do Carlos que na altura fazia troça de tudo, e davam os dois com a Guerlinda inchada dos choros, turva de privação de sono, azeda de leite e toda corcunda sobre a filha que agitava as perninhas com desconfortos insondáveis o tempo inteiro a registar no ar que agora a Guerlinda era isto, era mãe.

Houve um dia em que ela estranhou tanto o seu reflexo na minha imagem que me deixou a tarde toda coberto com uma fralda de pano, eu via apenas a passagem do vulto que era ela a agitar-se cheia de ciúmes pela casa com um bebé nos braços, ia variando as mamas em gemidos de dor, de vez em quando uma canção para embalar a miúda ou mesmo para passar o tempo, havia uma em particular que ela repetia sempre em mantra até a bebé dormir, Santa Luzia passou por aqui com seu cavalinho comendo capim, Santa Luzia passou por aqui com seu cavalinho comendo capim, Santa Luzia passou por aqui com seu cavalinho comendo capim. Quando o Carlos e a irmã de Guerlinda chegaram afobados das tarefas do dia na lavoura, mais dóceis depois do trato com as cabras e os filhotes dos porcos, tiraram-me o pano da cara sem grandes questionamentos, talvez supondo que a Guerlinda estava a proteger-me dos vapores da fornalha.

E numa tarde que passou assim entre aleitamentos e canções e trocas de fralda, a polenta esquecida ao lume a colar-se na maçaroca e os legumes a despedaçarem-se fervidos demais, a Guerlinda pousou a Alice durante um instante no sofá, os humanos precisam de mais braços, era preciso que fossem oito tentáculos bem compridos e eficientes para que pudessem ser mães e ao mesmo tempo serem qualquer outra coisa, afastou-se um instante só para ir ver e tirar os tachos do lume, um bebé ainda tão pequeno, quem ia adivinhar que faria o seu primeiro movimento precisamente agora, a torção experimental no pequeno tronco, as mãozinhas a tatearem o ar até descobrirem o chão implacável, que não cede nem mesmo para um bebé que só entende da maciez do colchão e do colo, a sobrancelha irrigadíssima rompeu-se numa corrente de sangue, os berros da mãe e da filha, o Carlos e a cunhada a acudirem de repente encardidos de terra como se tivessem vindo a correr do mundo dos mortos, a Guerlinda ao que tudo indicava humilhadíssima dobrada sobre o bebé que ela ainda nem tinha recolhido do chão, o pai incrédulo a gritar mais alto do que o choro, ela tinha uma só tarefa que era cuidar da filha e ainda assim uma coisa destas, a irmã lindíssima a agilizar racionalmente os cuidados, a irmã que anos depois casou com um tipo que tinha um emprego numa cidade muito longe daqui e nunca mais deu notícias, serviu apenas para ter o dobro de filhos que tinha a Guerlinda e monopolizar a Elvira agora com ela, tenho p'ra mim que namoriscavam mesmo, o Carlos e ela, no meio do tabaco que naquela altura devia estar alto, o clandestino casal a refastelar-se nos venenos e adubos enquanto nesta sala um bebé humilhava obstinadamente a sua mãe.

Já terminaram tudo e recolheram os pratos, a Maria lava a loiça muito devagar porque quer ver o Octávio que não é bonito nem feio, mas é quase adulto e trata-a um bocadinho mal, mas só um bocadinho, de uma maneira que a deixa obcecada, cada prato delicadamente lavado para que o tempo demore infinitamente. A Alice, sem paciência para o atraso do gajo nem para a irmã a empatar, retoca a maquilhagem bem perto de mim, o batom, a respiração presa para não me embaciar, os olhos ela já maquilhou com detalhe e começam a ficar vermelhos, se calhar é sono.

O Octávio abre a porta de casa sem bater e assusta a Maria, que deixa cair um prato dentro do lava-loiça, mas não parte. A Alice e ele dão um beijo longo e desapropriado no meio da sala,

— Eu tô com muito enjoo

— Chega dessa história de enjoo, Maria, vai lá pra dentro

e o Octávio pratica a sua maneira de dar atenção à miúda que é falar sobre ela mas não diretamente com ela,

— Isso daí é doença da folha verde, é isso que ela tem né
— Não, eu tô grávida, olha!
A Maria levanta a blusa e infla a barriga vistosa de refeições e infância, passa a mão em afetações maternais sobre o abdómen inchado que a Alice olha horrorizada,
— Guarda isso, Maria, louca, sai já daqui
tenta tapar a irmã com o próprio corpo em frente ao Octávio que está perplexo, ele aguenta o riso e não contém o espanto talvez a pensar que aquela é uma casa em que alguém como ele não pode ser visto sem ficar com má fama.
A Maria é enxotada para o quarto pela irmã, que alterna o olhar entre a miúda que já se vai e o Octávio, desestabilizada como nunca a vi, ela gosta de fazer parecer ao rapaz que não se importa com a opinião dele, mas agora não consegue, não sabe o que aquela garota tem, nunca foi de falar destes assuntos, se calhar algum amigo gozou com a barriga dela, a Maria nem sabe como estas coisas da gravidez se passam,
— Pelo jeito nem tu sabe
— Como assim, Otávio
— Assim ué, do jeito que tem medo né
— Não tenho medo nada
— Então prova daí
— Tu é ridículo
— Ridícula é tu que tem medo de foder
e a Alice tapa apressada a boca do gajo antes que alguém ouça, que nesta casa já não há copulações, às tantas desde que fizeram o Pedrinho. O Octávio aproveita o embalo da censura charmosa e aperta a cintura dela, cada vez mais fina na preparação para o Musa do Sol, e viram-se ambos num ritual de um filme ou telenovela que ele deve ter imitado e ficam assim prensados os dois quadris contra a parede, ela tateia até encontrar o interruptor, apaga, fica o clarão da lua que entra pela janela e do resto da lenha acesa a minguar no fogão, o estalido

meloso dos beijos é insuportável, quando é que vão aprender a beijar, ele força a pressão na pélvis e ela parece sentir algo que crê ser de outro mundo, uma coisa que faz dela um ser especial nesta casa e dos dois um par distinto de toda a vizinhança, finge ou sente uma tontura de paixão e repousa os braços sobre os ombros dele, que a pega por fim ao colo e a leva até ao sofá, deitam-se e ondulam-se desesperados, o calor escuro molhado na minha superfície, não entendo o que se passa, só vejo que ele é empurrado para fora do sofá após um pequeno arrufo, ela senta-se mais bruta e repete que não, que não é o dia, ele pega irritadíssimo na chave e no telemóvel que deixara em cima da mesa e vai-se embora, o bater da porta, não sem antes revelar que a outra, vizinha, a da quinta mais adiante, ela sim sabe fazer tudo,

— Isso que dá namorar colona tonta assim que nem tu

e na verdade ainda antes de bater a porta ele acende a luz só p'ra deixar a Alice mais desmoralizada e pálida à minha frente, e eu sei pelo sorrisinho incontido que ela ficou feliz porque ele disse namorar uma colona tonta, então é isso, eles são namorados.

26.

Hoje estamos indo nas mandiocas, a Maria me leva nas mandiocas todo ano, me veste sem fechar nada direito, eu fico assim meio largada, e a Alice fica brava porque ela já falou um milhão novecentas e oitenta mil vezes que não precisa de roupa de segurança para ir resolver a praga da mandioca, mas a Maria me veste mesmo assim, porque ela tem muito, muito, muito nojo das lagartas.

O remédio para matar a lagarta é muito interessante, eu vou contar, não tem nada a ver com os venenos, o tio Carlos explicou pra elas vários anos atrás, da época da lavoura dos pais dele, com as lagartas contaminadas do outro ano mortas congeladas numa garrafa de plástico eles fazem uma calda cheia de vírus, mas é um vírus só pra lagartas.

A Maria me veste nessa hora, que é quando vão jogar a calda por cima de cada uma, e também depois quando vão catar os corpinhos, elas são imensas, às vezes do tamanho da mão dela, ficam grudadas de ponta-cabeça muito intoxicadas, e as duas vão recolhendo e guardando pra congelar pro ano que vem. A Maria não gosta de pegar em bicho morto e ela acha que as lagartas têm direito de comer mandioca também.

Uma vez quando a Maria ainda era bem pequena e eu sobrava bem larga nela a lagarta caiu por dentro da manga e ela saiu pulando e gritando e chorou muito, a Alice deu um tapa nela pra parar o escândalo antes que os pais ouvissem, daí pegou uma lagarta e botou bem perto da boca da Maria mandando abrir que era pra parar logo de frescura. Eu nem acho que a Alice ia ter coragem de enfiar uma lagarta na boca da irmã, mas na hora parecia. Só que tudo bem porque a Alice era mais pequenininha também que hoje, daí essas coisas acontecem.

A mandioca assim plantada é até bonita só que depois que colhe fica parecendo uns dedos inchados de uma bruxa gigante, não sei por que alguém come esse trem. Se eu fosse comer alguma coisa na minha vida acho que eu ia preferir mais lagarta do que mandioca.

Agora as duas vão jogando um pouco de remédio por cima das mandiocas, o olho arde, eu acho, mas talvez seja o sol, fazem tudo bem quietas que nem se fossem adultas e acho que é isso que acontece quando passam os anos, as pessoas adultas ficam muito quietas.

Naquele dia da lagarta por dentro da minha manga e depois perto da boca da Maria, como ela não parava mais de chorar e depois não queria mais falar nada a Alice chamou ela pra sentar um pouco perto das mandiocas, então a gente sentou, e a

Alice mostrou uma formiga bem pequenininha andando sozinha, ela disse assim que a formiga devia estar procurando comida pra depois avisar as outras que encontrou. Então a Alice tirou do bolso uma bala melada de sol e colocou no chão, a formiga veio muito animada lamber a bala depois já saiu correndo, a Alice tirou a bala do chão e guardou de volta no bolso, falou que ela leu na internet da escola uma piada assim, que agora a formiga ia voltar com todas as amigas dela e não ia ter bala nenhuma, então iam todas gritar que ela era burra e ninguém mais ia acreditar nela e ela ia ter de arrumar outra sociedade de insetos pra viver.

27.

Hoje é domingo e os guri decidiro que já que o Carlos não leva mais a piazada pro parque aquático ou pelo menos pras feira da cidade a não ser quando é hora de vender salame, leite, queijo, compota muita compota e fruta, e enquanto isso ninguém passeia de auto, eles combinaro que no horário da sombra na minha caçamba eles se reúnem em cima de mim né, e a Maria escreve com o dedo raspando na poeira do meu vidro de trás: Manhã na Rural.

Primeiro sobe a Maria, depois Alice ergue pra ela o Pedro e ele se ajeita na minha lataria que estala de ficar tanto tempo parada e sentam os três com um piquenique de sanduíche e uns talher que usam pra batucar no teto da boleia como se fosse música, mas o Pedro assusta. O tempo pode até me marcar de ferugem e me esfolar o estofado mas neles marca muito mais, como é que pode estar já os três desse tamanho quando nós tinha o cusco Dumbo era capaz que pra ele também fosse estranho ver a Maria bebê ficando uma pessoa que anda e fala como é que pode um cachoro saber que o bebê e a criança são a mesma pessoa né, se um cachoro não sabe nem da própria velhice, apesar que o Dumbo não chegou nem mesmo a ficar velho, subia junto com eles na caçamba, na verdade não subia alguém tinha sempre de ajudar, e então ficava com a língua no vento todo contentão.

Quando acabam os sanduíche e também uns bolinho que a Guerlinda deve ter feito anteontem porque já não tavam lá muito bonito a Maria diz que acabou o recreio e vai recomeçar a aula daí, mas Alice diz que não tem aula nenhuma por causa que é o Manhã na Rural e ela não tem nada que inventar que é uma escola né, então Maria apaga com a mão bagunçando a poeira e em cima marca com o dedo Aula e fica Aula na Rural e a irmã dá de ombro e tira uma foto de si mesma do lado do sanduíche com a lavoura no fundo, e depois deve andar até a estrada onde pega o sinal e escrever na foto Mais um dia na lida, o Pedro ainda não sabe o que é escola e deve achar que aula é a sua irmã em voz de doutora começar de repente a expricar alguma coisa.

Maria ajeita a garganta, o vestido e o ombro e começa a ensinar o Pedro que é o mais interessado, os olhinho começam a encolher na direção do sol que vem subindo, primeiro ela tenta cinco vez seguida que ele diga o nome Maria mas não sai, nunca sai e ela sempre tenta. Ela muda o tema da aula e diz que durante a Revolução Francesa baixaro uma lei proibindo que o povo desse água pros empalado que tavam morendo pelas rua tudo fincado nas lança porque a água fazia eles ficar mais tempo vivo e isso foi qualificado, ela disse assim, qualificado como uma tortura, o pessoal da Revolução achou que passava da conta, então se na rua uma pessoa empalada improrava por água não era pra dar e olha que eles tinha muita sede porque tavam sangrando demais né. O Pedrinho parece um pouco assustado mas essa é a vida lá fora! Quer moleza come minhoca que não tem osso daí.

Alice faz uma cara de nojo por causa do sangue dos empalado e fala que a irmã precisa sair depressa da escola mas a

Maria diz que na verdade ela viu isso na internet mas se foi no computador da escola dá no mesmo né, tem de parar logo com essas coisa que ela, Alice, ficou muito mais calma depois que parou de estudar.

O peso dos três na caçamba agora é parecido com os fardo de fumo empilhado mas com outra consistência o macio que a lataria e as folha de tabaco não são, e os fardo vai num balanço perigando virar então nessas viagem eu vacilo muito na tera que se tomba uma folha é a família que fica com fome, é o que dizem, pelo andar do boi se conhece o peso da careta.

Hoje também o peso é menor do que no dia do hospital a coreria que nós não sabia se ia dar pra nascer o Pedro ou moria ele e a mãe naqueles grito, é como dizem o cavalo tropeia com as pata e galopa com os pulmão, a Maria com a cara apavorada que ela tinha com oito ano e nunca mais perdeu, a Alice já quase moça foi ganhando naqueles dia uma outra cara, as duas passava as noite na minha caçamba em cima dos cobertor que devem ter aranjado no hospital, uma barbaridade, o Carlos dormia com a Guerlinda e o bebê desse tamanhozinho que eu ainda não sabia se já tinha nascido, o Carlos às vezes vinha pensar se levava as filha de volta pra casa sozinhas, não dava pra saber ainda quantos dia isso ia demorar, os animal tudo sozinho, e ainda tinha fardo de fumo pra vender no paiol, apesar que nessa época eles prantava no cedo e tava quase tudo entregue então era mais uma questão de elas dormir em cama e falar com os porco, mas elas não queria voltar talvez porque achassem que passando de volta os pontilhão iam deixando a mãe pra trás, bem fraca, nunca tinham ficado tanto tempo longe dela.

Na volta deveriam tá feliz porque era cinco e cinco era exatamente o número deles que eu vinha preparada pra caregar de volta, mas tinha uma canseira em todas as cara, deitaro a Guerlinda nos cobertor na minha caçamba e a Maria foi do lado olhando muito pra mãe, parecia se preguntar se era mesmo ela, se a mãe não tinha sido trocada na maternidade por uma outra parecida só mais minguada e verde, a Alice veio na frente do lado do pai, veio segurando o Pedrinho que era um voluminho tão frágil, ela olhava o irmão o caminho todo, ela com os músculo bem duro pra segurar o impacto das minha roda bruta e não vacilar os braço, ela não gostou daquilo que era segurar uma coisa tão quebrável e muito menos disso de quase morer pra pôr um filho no mundo, eu via tudo no olho da Alice que às vez levantava até o meu espelho pra buscar a cara da irmã lá atrás e ter certeza que a mãe continuava mesmo viva né, porque senão aquele bebê ficava sendo dela e isso não era uma coisa que podia acontecer daí. Nunca.

O Carlos foi o primeiro a falar e a voz assustou a Alice porque ela tinha mergulhado tanto em segurar o bebê no colo que esqueceu que existia a voz humana e o que ele disse foi uma iritação qualquer sobre o hospital todo largado, uma reclamação meio quase de política que não combinava com eles voltando pra casa os cinco vivo, a mãe deitada na caçamba com a bariga rasgada depois de tentar tantas hora parir normal que nem as cabra, foi o que eu ouvi o Carlos comentar na primeira noite na frente do hospital, que não tinha dado certo isso de parir é mais natural pras cabra, iam ter mesmo que tirar o bebê na força daí, ainda tão pequeno querendo sair logo e depois querendo ficar e não saindo mais né.

Agora a Maria continua suas lição pro guri que compensa todo o trabalho que deu pra nascer ficando quietinho onde colocam ele, obediente que nem uma árvore dura e velha ou um auto abandonado sem passeio, um espelho antigo manchado no canto da sala, um equipamento-de-proteção-individual numa roça no meio do fim de um país no meio do fim do mundo ou na parte debaixo do mundo onde ninguém tá vendo, é o guri calado e bom que nem nenhuma outra criança né, agora bate palminha cada vez que sente que a irmã terminou uma expricação, de verdade o Pedro ainda não entende o que é uma aula e fica apraudindo.

— Durante os séculos que os europeus ficaram trazendo as pessoas da África pra serem escravizadas, no caminho eles jogaram tantos corpos no mar, mas tantos, tantos corpos por tantos anos, que os tubarões começaram a mudar a rota, ficou uma rota nova de tubarão, porque eles iam comer os humanos jogados dos navios, e daí isso mudou até as correntes do oceano!

As corente e os tubarão buscando a comida fácil que tombava das onda sem entender de onde vinha e também sem precisar entender de onde vinha porque na verdade o importante mesmo era receber os corpo e nunca entender, essa parte quem diz sou eu não a Maria mas ninguém me escuta, a Alice reclama que isso não são coisa de se ensinar ao guri que tem a cara assustada não por conta de escravizados e corpos que ele não sabe o que é mas sim pelos tubarão que ele entende muito mesmo não tendo nunca visto o mar.

Mas a Maria bate com a mão na minha janela traseira que é a lousa e insiste que é importante que todos preste muita atenção porque ela estudou tudo isso muito bem durante todos os recreio no computador da biblioteca, quem fica de olho é uma funcionária que confia tanto na Maria que sai pra almoçar sem tirar ela dali né, e a guria até mesmo já dá informação quando aparece alguém mas nunca aparece.

— Ô Maria, e depois que os europeus pararam de jogar tanta gente da África no mar, os tubarões e as correntes voltaram igual antes daí?

— Isso eu não sei. Mas não é isso que importa né!

E a Maria diz que lá bem pra baixo da linha os colono são preto e o tabaco deles sempre é mal avaliado pela firma e eles recebe muito menos, a firma sempre dá muito menos pelas folha dessas família e ninguém nem faz nada, e então Alice diz que o pai delas também toda vez volta pra casa com menos do que devia e também ninguém faz nada cada hora é uma história a estufa as mancha a textura, que não tem nada a ver com o tubarão.

Acabou o Manhã na Rural e na verdade acabou a manhã e eles desce mais triste do que tavam antes. Alice fica sozinha comigo, tira pedaços da roupa e se estira pra tomar um pouco de sol pro concurso de beleza. Abre o olho meio alerta cada vez que um pássaro cruza o sol fazendo sombra.

28.

Guerlinda está no galinheiro há mais de uma hora, senta-se no meio das galinhas e conversa, não é a primeira vez que fala com elas. Comigo agora não fala, não sei que humanidade é esta que ela enxerga nos frangos e não vê na árvore. Primeiro agacha-se para apanhar os ovos, tenho a impressão de que é a tarefa que faz mais devagar, é uma coisa tão à toa que quase poderia pedir ao Pedro, ainda assim deixa que lhe tome tanto tempo, e não costuma dar seu tempo inteiro a quase coisa nenhuma. Começa a limpar os ovos com a barra do avental molhado e as galinhas vão se empoleirando em cima dela, sobem e descem no seu gorgolejo de mães acostumadas a esse ritual.

O galinheiro é pequeno, não se pode chamar aviário. É um teto rústico apoiado em madeiras, algumas delas são até mesmo galhos tombados de mim, também posicionados de modo que as galinhas possam subir e estar seguras quando cismam, todas juntas, que algum bicho veio apanhá-las, o que nunca é verdade. E Guerlinda se ocupa de consolá-las dos seus pavores e da perda contínua dos ovos. Acho que passa tanto tempo com elas porque custou muito até que vingassem, alguma sempre apanhava uma doença, imediatamente contaminando as demais e toda a família de galinhas definhava depressa, a ponto de Guerlinda começar a achar que seriam a única roça de todo o Sul incapaz de ter seus próprios ovos e relaxar ouvindo aquilo que ela chama de canto das galinhas, mesmo que o ruído não se pareça em nada com um coral, mas talvez tenha alguma semelhança com uma festa repleta de jovens e por isso agrade tanto a ela. É capaz que desde o casamento nunca mais esteve numa festa assim.

Por isso tudo, ou por qualquer outra coisa fora do entendimento de uma árvore, Guerlinda está agora praticamente deitada entre as galinhas vivendo o seu carinho de penas e pisadas pontudas de garfos unhosos. Às vezes ri das cócegas ou da graça que são os cacarejos misturados. Mas também já a vi chorar alto, talvez pelo conforto de o choro nunca superar o som que elas fazem todas juntas, ficam numa irmandade de ruídos e me dói a inutilidade do meu silêncio.

Alice vem vindo da casa estranhando a demora da mãe ou apenas a fim de surpreendê-la nas suas manias. Fica uns minutos escutando a conversa com a frangalhada e de repente as vozes aumentam porque começam as duas a ralhar uma com a outra. Guerlinda agora sentada abraçando a cesta dos ovos, que balança conforme o fôlego da discussão. Alice tenta apanhar a cesta sem nem saber por que e desiste, ouço alguma coisa sobre depenar, devem ter de matar um frango hoje.

A Guerlinda é impressionante, ela consegue amar tanto as galinhas e ainda assim conviver tão bem com seu abate rotineiro. Anos atrás fez um funil imenso torcendo uma lata de tinta, ele fica pregado num pau de madeira. Quando precisa, olha bem para elas e escolhe uma, vai com o bicho debaixo do braço e chega a fazer um carinho na cabecinha, e no meio do carinho emborca a ave com tanta agilidade no funil que quase nunca dá tempo de ela sacudir as asas e resistir, fica de ponta-cabeça aconchegada e ajustada na lata. Uma faca certeira arranca a cabeça do frango, a sangueira escorre quase até o meu solo. Os pezinhos pra cima ainda têm uns espasmos, parece que a vida das galinhas não é na cabeça, persiste uns minutos em outros cantos do corpo.

Então a Guerlinda é isso, essa força toda, mesmo eu implacável nas tempestades e firme nas geadas, mesmo eu inteira encapsulada em cascas e folhas não tenho esse poder. Como diz a Maria, quando Deus descer aqui e me perguntar se quero ser a árvore mais inteligente do mundo ou prefiro ser outra coisa, eu vou dizer que quero ser a Guerlinda, mas misturada um pouco com cada filha, e com o senso de humor que antes tinha o Carlos. E ia querer ter a mão grande do Carlos, que no passado era muito usada para carinhos na cabeça de todos e até no meu tronco. Eu também ia pedir um pouco da serenidade do Pedro e a maciez das suas bochechas, então Deus diria que não, que eu tinha de escolher ser uma pessoa só, ou ser a árvore mais inteligente do mundo, o que eu francamente penso que já sou. Então eu faria como a Maria e pediria que Deus voltasse para o lugar de onde veio e nos deixasse em paz.

Alice vem voltando com a cesta dos ovos e Guerlinda senta de novo no chão do galinheiro, talvez para provar que não se importa que a filha tenha visto sua amizade com as galinhas. Maria vem correndo animada na direção da irmã e se encontram logo abaixo de mim,

— Olha, Alice, o que eu arranjei na escola

— Mamãe ficou maluca, agora fala com as galinhas né

— Eu também falo com as galinhas, espera, olha, são muitas sementes de macela, vamo ter de novo, pros chás e também pra vender na feira daí

— E o que será que elas te respondem quando tu conta toda a tua lição

— Elas não respondem nada, Alice, é por isso que é bom falar com elas né, tu devia tentar um dia

— Onde tu vai plantar, dá tempo de eu usar no desfile?

— Planta comigo, logo antes da Rural, no vazio

— Cresce até o Musa do Sol?

— E quando é

— Capaz, já falei tantas vezes, no começo do ano que vem

— Então deve dar, vai ficar toda florida, a gente seca uns ramos e a mãe borda na tua fantasia

— Não é fantasia, é um biquíni

— Aqui biquíni é fantasia

— Não sei por que perco meu tempo contigo

— Guarda lá os ovos e vem plantar a macela antes de acabar o sol

— Pega a enxada

— Não precisa, vi um vídeo, a cova é bem rasa né

— É que eu tenho uma surpresa, Maria, vou pegar lá em casa, vou pegar água pra gente também daí. Traz a enxada.

As duas saem, são dois ventinhos sob a minha copa, mas ventos macios, que é exatamente o que as pessoas são, ventos macios. Guerlinda agora sentada talvez escolhendo qual galinha vai morrer, não sei como pode, sempre que a vejo caminhar com uma delas no colo na direção do funil de lata já não posso olhar e não é pela dor do frango, que desconheço, mas pela dor dela que só eu sei como é ruim matar o que se ama, eu com meus venenos que os bichos adoram. Na verdade o que eu pediria a Deus se ele me desse essa opção seria que meus frutos não fossem mais tóxicos, mas na verdade a melhor comida que a natureza já fez, e que todo dia a família se reunisse ao pé de mim para colhê-los, gratíssimos, e então me afagariam e adubariam e regariam porque eu seria o almoço e a janta. Mas já sei que Deus quando descer não vai me dar essa opção e sei também que de nada adianta a uma árvore sonhar com os frutos de outra, mesmo que seja por amor, capaz que para Deus seja até mesmo pecado.

29.

A Alice dá com o pai esparramado no sofá, deitado de uma forma mais afundada do que o normal, todo o corpo dele se abandonou à função de deitar, os olhos parados no teto, as mãos sobre o peito, como se esperasse apenas por um caixão que o acomodasse. Ela hesita à porta, depois ajoelha-se convicta e debruça-se sobre o Carlos,

— Pai

que faz um esforço de respiração mais funda, sem focar o olhar em mais nada além de um ponto confortável no estuque acima de si,

— Pai...

e ela sussurra,

— Nossa, pai, tem quantos dias que o senhor não toma banho? A mãe vai ralhar contigo né.

Um discreto volume de água forma-se na superfície dos olhos dele,

— É tão bom um banho nesse calor, o senhor gostava tanto...

— Dói

— Dói o quê daí?

— ... A pele

— Dói a água caindo na pele?

Ele confirma num quase impercetível meneio de cabeça, que faz escorrerem duas pequenas lágrimas

— Precisa tomar banho, pai... Não é hoje que tem o encontro lá, com o pessoal? Maria disse que o senhor vai né.

O Carlos contrai os olhos, como se no gesto de os apertar pudesse espremer para fora da sua vida essa tarefa,

— Vem, pai, levanta, eu vou abrir a água bem fraquinha e fresca pro senhor, não vai doer nadinha daí.

30.

A Maria vai abrindo umas covinha rasa pras semente de macela já pronta pro prantio, vão ficar lindas seguindo as cebola bem perto das minhas roda, tinha também os grão-de-bico que eles já colheu e depois devem dar a macela pra azia e insônia até mesmo pra angústia, antigamente eles tinha macela em todo canto por aqui e colhiam na Sexta-Feira Santa, as frorzinha tudo enfeitando as cerca, mas com os ano ninguém fez o reprante e também com as geada tudo foi minguando, quando isso der o Carlos e a Guerlinda vão ficar feliz, talvez pensem que é um sinal de que os velhos tempo vão voltar.

A Alice chega com uma surpresa que é um maço de muda de mate e conta que o vizinho, que é na verdade a família do Otávio, começou a prantar e então é a oportunidade pra fazerem uma surpresa pro pai que há tempo deixou de ter mate aqui por causa que não cuidaram de reprantar, mas a Maria não comemora por causa que não é bem assim, pode demorar anos até elas conseguir de fato usar o mate.

A Alice tem de pisar com muita força na pá pra cova do mate ficar funda e sempre úmida, então a Maria ri do esforço que não combina com a Musa do Sol e a Alice vai cair na provocação da irmã mas começa a rir porque de fato vai suando muito e não enterou nem três das dez muda, escuto um grito mais alto vindo das galinha e fico pensando o que vai ser né, canja não deve ser porque tá muito quente, talvez um ensopado ou grão-de-bico com peito desfiado, quando nós ia pra cidade almoçar em restaurante muito arumadinhos, o Carlos orgulhosão, a Maria cantando música repetida, a Alice descrevendo todo o cardápio porque queria pedir tudo e o Carlos contente dizendo que sim, que podia pedir tudo, depois voltavam pra dentro de mim cheios de embalagem com as sobra, o cheiro era de massa e pão e era também de carne a Guerlinda contente de estar bonita sem fumaça porque não tinha cozinhado e na verdade era só pra isso o passeio, pra ela não cozinhar porque a comida dela deve ser até melhor que a de restaurante né.

A Alice debruça na pá forçando o peso pra dentro da tera, os cabelo virado pra baixo balançando bonito no sol, a Maria fica besta com o que é a beleza e deve pensar muito nisso porque toda vez que repara na irmã ela se olha no que sobrou de reflexo nos vidro cheio de pó das minha janela conferindo que não, ainda não ficou bonita, e como será que é isso de saber o tempo todo, enquanto caminha ou cava a tera ou desfila, saber o tempo todo que é bonita e que ocupa no mundo o tamanho de espaço que tem direito de ocupar, nem a mais nem a menos, e sua presença é um milagre pros olho, quantos direito deve ter uma guria que é assim bonita como a Alice né, a Maria se olha de novo no meu vidro depois toca o cabelo da Alice balançando em volta do cabo da pá e ela não tem idade pra saber aceitar essa verdade né, que nunca vai saber como é a delícia de ser assim.

Pronto, enfim a Alice comemora as muda prantada e a Maria também já terminou com as semente de macela e sentam na minha sombra encostadas na roda da frente molhadas de calor, a Maria acha que o fumo vai indo muitíssimo bem está até mais bonito que no ano passado, e também acha que a Alice precisa fazer um curso e aprender as conta do tabaco e pedir pro pai expricar tudo desde o primeiro financiamento, elas precisam ajudar que a cabeça do pai parece que tá parada, mas a Alice não tem como fazer curso nenhum né, a não ser que levem ela pra cidade todo dia e precisam dela na lavoura e tem o diesel e ninguém tá pedindo ajuda nenhuma com os número, isso é mania da Maria de querer controlar as coisa tudo né, mas bem que a Alice podia fazer algum curso na internet mesmo porque no Otávio parece que pega internet boa, mas as coisa tão ótima a Alice já falou mil vezes, tão se recuperando muito bem e isso não é problema delas, a Maria tem que aprender a aproveitar esse tempo que as coisa não são problema dela.

Lembram de repente que alguém tem de estar com o Pedro porque o Carlos é capaz que pegou no sono, ele agora andava sesteando à toa no meio da tarde e o guri lá com ele, mas também não saem corendo porque sabem que o guri fica onde colocam ele e então vão com bastante calma daí, a pá arastando no caminho.

31.

A Guerlinda apoia o tacho sobre a mesa, a Alice põe os pratos e talheres em cada um dos cinco lugares, e ficam todas a olhar disfarçadamente para a porta com a impressão de que desta vez vão cear sem o Carlos, um episódio praticamente inédito. Há horas que saiu na carrinha do vizinho, não quis chamar reunião, não, se ele fosse um espelho culto teria dito iniciativa, uma iniciativa de pessoal que gosta de tratar destes assuntos na internet, a Guerlinda é que leu os comentários na página, precisavam de se juntar para tratar dos temas da safra, ou este ano passavam-lhes a perna outra vez, que estão a falar em comprar o tabaco todo sem surtir mas depois quando se vai a ver é patranha, que isto que aquilo.

Alçam o Pedrinho até à cadeira, que fica sentado sobre o almofadão, tudo mais lentamente do que o habitual que é para dar ao Carlos tempo de chegar. A televisão já ameaça acabar as notícias para começar a telenovela. A Maria olha-se em mim, aflita, na certa queria ter ido com o pai, como se fosse assunto seu.

Se o Dumbo ainda fosse vivo estaria à porta e ao menor ruído dos pés do Carlos na estrada ele giraria sobre si cinco vezes e finalizaria num uivo ancestral e toda a família poderia descansar da sua vigília pois não haveria a menor possibilidade de o homem já estar próximo sem que as orelhas subissem no seu instinto de matilha a avisar que estávamos todos prestes a compor novamente este grupo em estado de plenitude, mas agora falta um membro à mesa e não há aqui nenhum cãozinho para adivinhar a sua chegada.

De repente ele assoma à porta e todas se põem a simular casualidade, estávamos a servir agora mesmo, puxam-lhe a cadeira, a Maria perscruta os detalhes da expressão desanimada do pai, a Guerlinda segura as indagações, deve querer saber se andou a beber com os vizinhos. Escavam os pratos, desossam a coxa da galinha para o Pedro, os barulhos da casa agora um tilintar de loiças, mastigação e um falatório que é também engolido como são as conversas inacabadas,

— Deu uma baita briga...

a Maria molha o pão no caldo a dissimular o desgosto de não ter estado na discussão, apruma-se no assento meio minivereadora,

— Uns queria já fazer a colheita agora e vender o baixeiro todo sem surtir, outros queria união pra segurar o fumo no paiol até pressionar a firma

A Guerlinda aflita com aquela história de união que às tantas vai-se a ver não é união nenhuma e estão todos a entregar as coisas ao atravessador às escondidas,

— E daí que não deu nada... quem tem muita dívida não quer saber de segurar, e depois que não adianta as lavoura daqui guardando fumo se depois cem quilômetro mais adiante o colono entrega tudo que a firma pede, fica só nós aqui sem vender daí.

Da iniciativa do vizinho então não tiramos nada e o Carlos passa o serão a calcular agendas para ir apanhar a Elvira na cidade da outra filha para que ela more de novo connosco uns meses a servir de mão de obra para a colheita e costura das manocas, que este ano já não podem pagar nem ao mais minguado dos safristas, as miúdas refastelam-se na ideia de estarem de novo com a avó, a Guerlinda pensa na mãe a torcer os pulsos quase idosos em torno dos caules, não é possível que não possam pagar a um ou dois homens, desses que aceitam até refeições como parte do pagamento, mas de qualquer forma a mãe de volta a casa é uma ideia festiva, o vozeirão rouco enfeitado de cinismos encantadores. A Elvira é a minha preferida, gosto imenso dela.

A Maria e a Alice eram ainda mais pequenas, isto foi antes do Pedro, quando perderam o avô materno e então a Elvira veio para cá viver com elas, partilharam o quarto até que o Carlos conseguiu construir o anexo lá atrás. Chegou num silêncio solene que eu supus ser da viuvez, mas era só a sua maneira deliciosa de medir as palavras para soltar somente as mais ácidas e precisas, e eu achava piada a tudo o que ela dizia, a fazer troça da filha que estava sempre a ditar comandos, e da Alice sempre a safar-se, e, de tanto apontar o ridículo de tudo, ficávamos todos mais cientes de que nada disto é a sério, é apenas uma família de humanos que um dia morrem e pronto, acabou-se.

Exauriram a Elvira na lavoura até que ela não pensou duas vezes, logo quando a outra filha teve gémeos que se somaram aos dois ou três filhos que já tinha, ela desapareceu para amparar essa farta creche que se avolumava no outro canto do estado, a irmã que a Guerlinda nunca mais vira e com quem disputa a mãe num indiscreto duelo do qual é capaz de sair vencedora a própria Elvira, muito sábia a escapar das duas filhas.

32.

Alice vai e vem no balanço atado ao meu galho, sinto o esgar quando ela pende a cabeça para trás para que tombem os cabelos. Com um dos braços esticado para cima, filma-se muito séria pendurada em mim, o foco nos olhos, por trás é o solo que corre conforme o balanço. Senta-se e assiste ao vídeo repetidas vezes, satisfeita. Agora grava sentada, muito didática, um aviso de que o fumo está pronto na lavoura, já vão começar a colher o baixeiro. Vira a câmera para mostrar as vergas ao longe, duvido que o foco contemple tudo, volta a câmera para si muito sorridente sob a minha sombra, capaz que o vídeo tenha apenas o sol estourado no fundo e ela é um vulto anônimo.

Sai andando até o começo da estrada para arranjar sinal e publicar o vídeo para meia dúzia, talvez se subisse no topo dos meus galhos também conseguisse internet. No vídeo ela conta que vão buscar a avó para a colheita e então todos terão vídeos com dona Elvira. Não sei quem são todos, não há de ser quase ninguém. Elvira vai detestar a coisa do celular, mas acabará aceitando, ao final vai apertar a neta e jogar um beijo canastrão para a câmera.

Alice volta da estrada e faz uma série de agachamentos doloridos, quer aumentar o quadril para o Musa do Sol, há semanas que faz isso sem qualquer evolução. Capaz que já engrossaram mais os meus galhos do que os dela. Quero amansá-la com um carinho de folhas que não despencasse toxinas sobre ela, tudo que fazem por aqui também é despencar toxinas, ninguém para baixar a mão sobre a cabeça dela e dizer que está tudo bem. No final sua vida seria melhor sem um espelho, mesmo tão linda, seria mais tranquilo ser como nós da natureza, a flor não sabe de si.

Maria lá vem vindo com Pedro, não sei se estão preparados. Sinto por eles, pela época que começa, se eu pudesse entregava um pouco da vastidão do meu tempo, os dias humanos tão finitos, consumidos inteiros na lavoura, se eu pudesse emprestava a minha vigília para as fornalhas, que o meu sono não tem sonhos. Não faz bem às pessoas interromper tão sistematicamente os sonhos.

Depois Maria mal consegue acordar para a escola, aposto que adormece nas aulas, os outros alunos também, aqui vivemos o tempo do tabaco. E ainda com a seca que está vão ter de molhar as folhas antes do forno. Quero colaborar na lavoura, mas o máximo que consigo fazer é mandar impulsos elétricos até as raízes da bracatinga só para que ela saiba que estou aqui e me importo. Ela não é de responder.

Agora mais adiante no gramado, Pedrinho tenta cambalhotas para a Alice filmar. Ela tem a ideia de filmar entre os camalhões do fumo, ele tenta virar três vezes na sequência, muito lentamente, acaba tombando para o lado. O vídeo não fica bom, Alice manda repetir e ele faz, como parte de uma missão.

Não gosto dessa calmaria em que todos parecem plantas ondulando na brisa, porque é o clima que antecede o caos. Nós temos nossas tempestades, mas eles também têm a deles. A tempestade dos humanos começa em breve na colheita e não acaba mais até o ano que vem quando o último fardo for embora na Rural e o Carlos ajustar as contas nos cadernos, descontados os insumos todos e os juros e as parcelas da terra e ainda da construção da fornalha que já vêm há mais de quinze anos, não sei se vai dar para irem à praia. Mesmo para a praia mais feia, como disse a colega da Maria, que só nesta terra conseguimos isto que é fabricar praias feias.

Maria apanha um galhinho meu do chão e faz de microfone. Embora seja um microfone, fala baixinho, não quer que ninguém ouça,

— E se eu for eleita, vou mandar arrumar todos os pontilhões e as estradas de todas as coxilhas do município, e também vou mandar a firma buscar o fumo no nosso paiol, com o próprio caminhão daí, acabou isso de só buscar na cidade delas.

senta-se no meu balanço, faz um pigarro formal, não é um pigarro sentido,

— E a abertura da temporada dos pêssegos vai ser televisionada para todo o país!

Esconde-se atrás de mim para cutucar o nariz, longe das câmeras e holofotes. Então deixa-se perceber o silêncio quente, ela também não gosta dessa indolência que antecede o que há de pior. Busca a Madonna atrás da cerquinha e saltam as duas, minhas raízes de obstáculos, Alice de longe filma, suponho, somente a cabrita, que já está bem maior e quase rasga a roupa da Maria com os dentinhos de amor, o amor dos bichos é desastrado.

— Atenção, alunos, lembrem da cartilha, os girassóis olham um para o outro em dias nublados. Olhem pros seus colegas. Reparem em quem está muito cansado né, dormindo, muitos estão na colheita, olhem uns para os outros e se ajudem.

A cabra não se importa com o tabaco e com as somas e os futuros de todos, Maria e eu queremos ser a cabra nos seus saltinhos jocosos, no júbilo de estar simplesmente viva no verão e ser macia e livre de angústias. Pedro terminou as cambalhotas e vem correndo, Madonna corre na sua direção feito um cachorro desarticulado e anguloso. Alice capta o encontro num longo vídeo que vai depois ao ar sem edição nem contextos, uma vitrine do amor possível, a novela deles.

Carlos termina de recauchutar os pneus da Rural, talvez para viajar até Elvira algum dia desses. A tarde vai terminando aquarelada sob as nuvens, finalmente um gesto bonito nosso, da natureza, para eles. Uma delicada despedida da paz.

33.

Outra vez este gajo a vir cá a casa depois do serão, a Alice alvissareira a contar que a avó vem morar com ela novamente, o Octávio a encolher os ombros, quanto mais os encolhe mais a cativa, há graves equívocos na formação dos humanos e eu tento exibir-lhes a todo o tempo as suas inconsistências, mas é outra coisa que veem.

O que acontece aqui à minha frente é o presente mas é já claramente também o passado desta rapariga que num instante crescerá e não há de compreender o porquê desta paixão antiga, a cena já vem até mesmo desbotada do tempo que passará. E ela não sabe, para a Alice o hoje é tudo o que existe, e é demasiado.

Enquanto a Alice serve o sumo em dois copos, o Octávio aperta no queixo uma apavorante espinha que espirra num estouro diretamente sobre mim. Satisfeito, espalha no buço pontudo a provável sobra de pus e conclui-se belíssimo, confere o perfil, tem mesmo proporções adequadas, a mandíbula um dia será de homem, mas agora que ainda é mirrado nota-se um discreto prognatismo que me lembra um minúsculo cão desses com a dentição de baixo saliente, o cérebro tão diminuto que pensam que o seu reflexo é um outro cão idêntico a sacudir-se do outro lado do espelho. Havia um desses, com alguma mistura genética que pouco lhe salvava, em casa dos pais do Carlos umas quantas décadas atrás.

Começa o seu teatrinho de indiferença, atira-se para o sofá e cruza as galochas enlameadas no apoio para o braço, depois é que se lembra de tirá-las, num estrondo despencam no chão. A Alice aperta-se no que restou de espaço no sofá e beberica do sumo atenta aos movimentos ao fundo da casa, que não venha ninguém coscuvilheiro bisbilhotar os jovens no seu ritual de exuberância.

Ela quer tirar uma foto com ele ou fazer um vídeo para publicar, mas ele esconde a cara sob uma almofada, simula que está apenas a brincar com ela mas isto é um teste, ele sabe, a Alice ofende-se e insiste na foto, que ele não quer que saibam que andam juntos, as outras raparigas da coxilha a disputar este shih tzu esticadinho e imberbe.

O Octávio finge não notar o desconforto que deixou na sala com o tema da foto, com a cabeça deitada no colo dela começa a passar a mão na cinturinha e a tatear até às alças nos ombros, a Alice pende o pescoço para o lado num arrepio. Vive para isso, aposto que na cama deita-se a pensar neste gajo, à tarde na lavoura está a pensar nele, de manhã no meio das galinhas, ou quando lava a loiça com ódio a mando da mãe, está a pensar neste poder que tem agora sobre o Octávio, uma coisa tão avassaladora que o faz atravessar de noite dois pontilhões e depois bombear de imediato tanto sangue para as quenturas, ela é mesmo um milagre, enquanto ele estica as mãos para alcançar-lhe o peito a Alice lança--me um olhar que é um ensaio de volúpia, aprova-se.

Se as pessoas pudessem verdadeiramente assistir a si mesmas com os meus olhos, acompanhar tão minuciosamente os efeitos do tempo, a altura a alongá-las todos os dias desde bebés, as cartilagens no seu eterno inchaço, as manchas de sol, o ridículo que é sonharem, se elas se vissem com a argúcia com que as vejo, certamente eliminariam desgostosos a adolescência.

Quando a Alice era mais pequena a Elvira neste mesmo sofá debulhava milho debruçada sobre uma bacia apoiada entre os pés e a Alice fazia tranças nos cabelos da avó,

— Assim fica mais bonita, vó, vai até arrumar namorado

— Capaz! E quem é que quer homem, tá de arreganho com a minha cara né

o milho a tamborilar no fundo da bacia, a Elvira firme na faca e nas suas convicções, uma senhora cheia de dignidade, alguém assim jamais foi adolescente,

— O melhor homem não é tão bom que nem a pior mulher, Alice

— E é? Então nós é tudo melhor que o pai, vou contar pra ele daí

— Não conta... Onde berra o touro não berra o carneiro

agora a rapariga no sofá sem a avó, o Octávio já se endireitou e coloca-a sentada em cima da braguilha bicuda, a Alice lisonjeadíssima com o que é capaz de promover num homem, pende a cabeça para trás e deixa derreterem as feições enquanto as pequenas ancas fazem um círculo pressionando tudo o que lhe vai por baixo.

O Octávio parece que de propósito não coloca qualquer expressão na cara, mantém o firme papel de indiferença que muito provavelmente ela investiga e supõe ser algum tipo de farsa, já que debaixo da saia dela neste instante se avoluma muita diferença, e a cada gesto inédito, a cada avanço ela conclui que o seduz de vez para o reino das suas maravilhas, espelho meu espelho meu existe alguém mais bela etc.

Ele olha para trás, a vigiar o corredor silencioso, e depois levanta a Alice num ímpeto e de pé a traz consigo até aqui diante de mim, gira-a de costas para si, fico espalmado pelas mãozinhas húmidas, o verniz rosa das unhas gasto nas pontas com vestígios de terra por baixo, vejo a Alice e logo atrás a cara prognata do Octávio a tatear por baixo, o barulho do fecho da calça, a Alice debruça-se mais sobre mim e empina a saia, tudo a facilitar a incursão.

Na primeira investida a Alice contrai os lábios e os olhos ficam gigantes, tenta ajeitar-se, sugere tímida que façam deitados, mas ele diz que, se aparece alguém, de pé disfarçam num instante, e depois as mãos a escorregarem no meu vidro, digo-lhe que isto tudo é uma tolice, toda a gente é cheia de buracos e o tempo está a passar, depois tantos rapazes podem entrar por aí, ela rebola uma vez mais, a boca ainda dura de trincar os cabelos suados que ficaram colados na língua.

Ela dá um pequeno salto de repente,

— Não quero

não aguentou nem três segundos, é provável que não tenham avançado nada adentro, desencaixados não se movem, é ridículo ofegarem por tão pouco, as mãos dela quentes em mim, a respiração embacia-me, que coisa que é ter um corpo, um corpo capaz de aparecer num espelho, que coisa que é ser um corpo e não um espelho capaz de refletir somente o corpo que não é o seu, ter este corpo e ficar assim rendida a ele, o Octávio sobe o fecho barulhentamente e calça as galochas e a Alice não tira os olhos de mim, o Octávio vai-se embora, a porta bate, a Alice arqueada ainda com a saia levantada, na penumbra brilham duas lagrimazinhas.

34.

O sol já borrou seu rosa no começo do céu, os galos já sabem que hoje começa a canseira, o inferno. Já posso quase adiantar o cheiro da fornalha dia e noite comendo a bracatinga e a lenha da firma. Eles acham que não sentimos cheiro, mas a gente sente, se eu estivesse numa floresta com as minhas amigas sentiria o cheiro que elas me mandariam toda vez que um besouro começasse a mastigar as folhas, e ameaçasse deitar seu entojo de larvas nas nossas estrias. É um olfato lento, somos lentas.

Tento avisar ao tabaco: preparem o baixeiro que hoje vão torcer e arrancar o que puderem. Mas as plantas cultivadas são surdas, cegas, as raízes não falam comigo nem com ninguém. A natureza tem essa birra com os humanos, de alguma forma recusamos esse novo deus. Quando os homens ajeitam meticulosamente sementes no chão, estão cultivando arremedos de nós.

Por conta desse capricho das culturas é que levam tantos venenos, não sabem sentir o gosto da mordida de uma lagarta, identificar pela saliva e espalhar a notícia pelos vizinhos, não sabem receber recados pelos fungos sob a terra, sabem ainda menos de amor.

E também precisam das mãos do seu criador para tudo. Se não lhes tomam as flores, gastam energia e ficam tacanhos. Agora depois que as crianças e a Guerlinda despontarem os pés e colherem as folhas do baixeiro ainda é capaz que o tabaco cresça mais. Sempre à espera de um conselho humano.

Maria vem com sono, é a primeira a sair da casa rumo à sua missão. Decerto quer dar o seu melhor no domingo, senão podem querer segurá-la aqui na hora da aula. Enquanto não sua nem arde do sol, pode ser que não precise da roupa de proteção. As folhas sequinhas não estão prontas para enjoar os seus humanos com overdoses de nicotina, em mais um dos espetáculos de ingratidão da natureza.

Apanha a carriola. Melhor seria alugarem de novo um boi de canga para carregar mais folhas de uma vez, a verga lá ao longe com essa carriola, não sei. Pode ser que arrumem algum para as mais distantes. Há o triciclo do vizinho a que poderiam atar a carroça maior. Mas também sou uma árvore isolada, não posso saber isso de vizinhos. Somos assim insuladas e vivemos menos do que podíamos, é o que temos.

Maria começa na primeira verga, logo ali à frente. Imagino o sentimento de estar agachada sob o primeiro pé de tabaco, o primeiro de alguns hectares. Nem mesmo quando bombeio um nitrogênio da ponta da minha mais distante célula tenho pela frente uma imensidão de trabalho assim. Torce os pulsos em torno dos caules mais baixos, as costas arqueadas, vai arrastando os pés na terra no contrário da ergonomia. Curva-se às plantas, aos caprichos da natureza.

Alisa as primeiras folhas, está oficialmente inaugurada a colheita. Sorri para elas como fossem uma boneca que aninhasse nos braços. Na certa faz algum pedido, que este ano sobrem menos dívidas, que sejam as melhores folhas, que o pai reaprenda a sorrir. O que sabe uma árvore dos pedidos de uma criança supostamente feia esquecida no canto de um país esquecido num mundo que vai acabar porque nós da natureza insistimos em discordar dos humanos. Uma criança colhendo um fumo que não se pode comer, mas que ela agora acalenta, porque é o melhor que podem ter por aqui, a maior certeza ao fim de cada ano. Aqui vivemos o tempo do tabaco.

Parte 2

35.

Uma baita emoção, um dia de viagem e outro de volta, tem anos que eu não vivo nada assim, a última vez foi quando o Carlos e eu fomo levar a Elvira pra casa da outra filha dela, agora já sei o caminho, mas daquela vez tinha os buraco da chuva um monte de atoleiro que aqui fica meio ano sem aparecer uma patrola, os pontilhão moído e tinha também os buraco no assunto porque a Elvira saía daqui fugida da lavoura que ela não aguentava mais né, ia pra junto dos neto novo tudo filho daquela que a gente não sabe se quando nova se enroscava com o Carlos no milharal e no meio do tabaco, então sogra e genro foro trepidando e derapando e não tinha nada que eu pudesse fazer, então fiquei fazendo meus barulho.

A outra viagem longa mas bem mais curta tinha sido pro entero da mãe do Carlos, as guria foro sem vontade de enterar uma avó que nem lembrava delas e elas não lembrava dela né, a volta foi ainda mais pesada porque os assunto deles era cada farpa que quase me furava os pneu, o Pedrinho era muito bebê e a Alice impricou que não queria segurar ele e a Guerlinda com os braço doído querendo comer um sanduíche e eu me sacudindo no baro solto, a Maria era meio pequena pra segurar o bebê e a Alice teimando que não era obrigada que não queria segurar e ninguém acreditava numa coisa dessa, uma avó totalmente enterada, o Carlos agora sem pai nem mãe, o Pedro querendo chorar de enjoo ou talvez por culpa da irmã,

— Eu não vou ter filho então não tenho que ficar ajudando quem teve porque depois não vou ficar ganhando ajuda de ninguém

o Carlos bufou de mau humor pela conversa e pela filha que é diferente de todas as filha de todas as coxilha, sempre tudo amorosa e unidas mas bufou também pelos buraco do caminho e a minha mania de me jogar neles né, e a Alice doida,

— Pra quê ter filho, pra depois ele casar e a mulher dele reclamar de vir no meu enterro!

eu achei que a Guerlinda ia virar um tapa, uma tunda de laço na filha mas talvez porque tinha os braço ocupado com o Pedro ela só mesmo começou a chorar, o que animou a Alice,

— E como eu não vou ter filho não vai ter ninguém pra eu mandar fazer trabalho da lavoura pra mim então não é justo eu ter de fazer agora daí.

Dessa vez a viagem vai ser bem mais tranquila, pelo menos na ida que é só o Carlos, vamo juntos ouvindo o rádio, quando pega o rádio, e só se ele girar o botão e ligar o rádio porque as voz humana às vezes deixa ele iritado e triste hoje em dia, mas antes ele cantava as música junto e segurava o meu volante com uma mão e com a outra batucava a minha lataria pelo lado de fora, e ficava contente de me guiar.

As galinha acordaro no auge e as cabra também nos berinho delas e o meu motor agitado me esquentando toda, os filho vêm todos se despedir como se fosse muitos dias de saudade e a Guerlinda tenta um abraço mais longo e com um beijo, mas o Carlos tá sempre com a cabeça doendo ou parada em outro canto, envenenada.

É bom que ainda não choveu de balde senão nós ia derapando no baro, mas o tabaco bem que ia gostar de uma chuvinha mais caprichada daí. Já tamo perto do outro distrito bem fora da coxilha e o Carlos me encosta numa beira e deita o banco e eu penso que ele vai dormir, mas só fica olhando o meu teto sem me dizer nada, tá exausto né e nem começamo direito ainda.

Os auto às vezes precisa de uns dez minuto pra aquecer e dar a partida, os humano vai ver também precisa, mas o Carlos antes não precisava, agora os olho grudado nas mancha do meu teto, o rádio desligado, o peito dele que quase não sobe, fico pensando se esqueceu de respirar, quero dizer pra ele que tamo junto nessa né, que eu vi ele crescer um moço forte apaixonado e meu banco tem o formato dele, meu banco quase sente as mesma dor nas costa e nos ombro de tanto viver na lida e agora dirigir, eu quero dizer uma porção de coisa que uma Rural pode dizer pro seu dono, quero dizer que eu não preferia estar em mais nenhum outro lugar do mundo com nenhuma outra família que essa é a mais preferida que pode ter, mas ficamo assim quieto num silêncio estranho e o meu motor desligado e eu não posso fazer é nada.

36.

A Alice toma o café já vestida para a lavoura, pouco protetor solar, a Musa do Sol vai chegar a janeiro em carne viva, a Guerlinda investe apressada por entre as loiças à procura de uma fôrma de bolo

— Aquela que não gruda no meio

e o barulho é inadequado ao humor da rapariga ainda magoada por causa da última visita do Octávio, muito mais dorida no peito do que no corpo, que neste não magoou nada, fechou-se, eu sei,

— Hein, Alice, não viu o negócio do bolo

e o barulho da lataria sob o lavatório, se a Alice respondesse de qualquer forma não se ouviria

— Tua avó vai ficar sem bolo né

— Mãe, calma que o pai saiu ontem, eles não chegam hoje mais né

— Capaz! Não chegam não?

o silêncio enfim, passarinhos entusiasmados na copa da árvore aqui ao lado,

— Não, ué, ele vai ter de dormir lá, descansar. Se brincar ainda demoram dois dias daí

— ... Não calculei. Bom, acha pra mim a fôrma, que nada nessa casa fica onde a gente bota

— Maria já foi logo cedinho colher o baixeiro...

— O que é que tu tem?

— Eu? Nada, o que eu tenho?

— Não sei, tá boazinha...

A Alice levanta o Pedro do chão que vem a cambalear de sono e se aninha satisfeito na irmã. Mesmo a esta hora o calor aquece as paredes e os pregos às minhas costas, o suor da família fica em mim sem que me toquem, quando o verão se instalar de vez as pessoas não se conterão dentro dos seus corpos, ficarão sempre esses vapores de gente.

— Filha, não quero aquele guri aqui enquanto teu pai não volta, não fica bem nós aqui sozinhas e

— E o pai por acaso faz diferença no quê

— Não dura nada a tua bondade, a vida vai te aplicar lição, Alice, que eu mesma já desisti.

O Pedro desce do colo e pede água na sua vozinha matinal inaudível, a Guerlinda alcança o copo plástico azul e cheira o cabelo do miúdo enquanto ele bebe, precisa ser lavado, foi a Maria quem lhe deu o último banho, hoje é a vez da Alice, a Guerlinda deixa a ordem no ar parado desta saleta e começa a calçar as galochas,

— Mãe

— Hum

— Nada, deixa

E apanha o cabelo bem no topo da cabeça, olha a filha sentada à mesa, mas olha-a em mim, fica assim um tempo detida nesta minha triangulação ótica, a chávena pousada sobre o naperon, o Pedro a tentar alcançá-la sem motivo, apenas por não ter mais nada para alcançar,

— Mãe, quando que o pai disse que te amava a primeira vez?

Rompeu-se o triângulo do meu reflexo, a Guerlinda já a caminho da porta, a filha parece que mesmo com a voz sôfrega ou afetada de vulnerabilidades segue como num espelho torto que lhe distorcesse os propósitos, supõe-se sempre alguma torpeza a alfinetar a mãe,

— Vem logo pra roça, Alice.

37.

No fim da verga as três mulheres vêm colhendo o baixeiro. Mal posso vê-las, andam curvadas sob as folhas mais altas. Arrastam os pés, e a terra forma torrões só para dificultar o passo. Ouço o estalar sistemático das plantas.

Não tem chovido. Estou bem, sou opulenta e além de tudo precavida, mas já escuto o grito das outras árvores ali mais adiante. As pessoas não sabem da nossa voz, porque gritamos numa frequência que não lhes interessa. Quando não há mais água para enviar das raízes para cima, o vazio provoca vibrações, o ar estremece os dutos feito cordas vocais. Elas estão gritando que a água acabou, mas gritam para quem?

Talvez seja para mim, um alerta de que sou a próxima a sofrer caso eu não possa fazer nada a respeito a esta altura. Um alarde inútil, para gerar ansiedade nas outras árvores. Ou quem sabe esperem que eu lhes envie a minha água, às vezes acontece de ter uma lagoazinha parada na minha forquilha, uma banheira de pássaros.

Pedro vai e vem no balancinho. As cabras se aproximam, ele dá um tapinha na orelha da Madonna e ri. A cabrita cresceu, já está bem maior que ele, que também cresceu, já não é o mesmo menino que temeu a cabra numa tarde fria neste meu balanço. Como podem ter crescido tanto em poucos meses.

Se bem que uma árvore, se não lhe dão instruções, é capaz de crescer muitíssimo mais rápido, varar o céu sem qualquer precaução. Numa floresta as árvores mães cobrem suas mudas, as pequenas ficam tão escondidas sob as copas imensas, quase não veem o sol. Uma pessoa olha para isso e pensa que somos sórdidas. Como poderia uma mãe arrogar para si todo o sol e deixar as filhas minguando minúsculas por décadas?

A pessoa olha essa árvore criança e pensa que está tão magra, tão pequena, coitada, não vai vingar porque a mãe não deixa, que mãe desprovida de instintos maternais. O trabalho silencioso da mãe é justamente conter o tempo, sossegar a fúria de um filho contra o tempo. Se a arvoreta crescer lenta será um adulto mil vezes mais forte, as células da madeira bem compactas, imunes aos fungos.

Por baixo da terra somos a fonte de tudo para os filhos na penumbra, isso ninguém vê.

Pedrinho ensaia um beijo na testa da cabrita, que dá saltinhos entre as minhas raízes. Vão crescer na velocidade que quiserem, como as árvores que não têm mãe. As árvores sem mãe crescem sem uma educação rigorosa, com toda a luz à disposição, iludidas, todo ano ganham tantos metros que chegam a achar que o mundo é pequeno para elas — eu mesma fui uma dessas crianças. Ficamos troncudas e cheias de imensos galhos laterais irradiando afoitos. Não seguimos o manual de etiqueta da floresta. É preciso que na parte de baixo os galhos sejam finos ou inexistentes.

A Alice sabe das etiquetas, para o concurso de beleza é preciso que ela controle o crescimento do próprio corpo, os abdominais que faz na grama com o celular apoiado para filmar o esforço, os pelinhos aloirados umedecidos sob o umbigo ao pôr do sol. Depois para desfilar é preciso seguir a etiqueta da caminhada, talvez um salto alto, um olhar acima dos ombros, o sorriso de musa ao fim do desfile.

Mas também, se eu não tivesse crescido assim, precoce e galhuda, onde é que iam amarrar este balanço.

38.

Minha lata velha podia ter fritado um bife no sol que fez hoje mas agora refrescou né, a gente ficou mais de hora parado na feira a Guerlinda cismou de mandar as compota de pêssego, mas no fim foi bom que vendeu quase tudo e já paga o meu diesel daí. O Carlos esqueceu de ligar o rádio, a tarde toda a gente veio no silêncio que é os meus metal batendo, as pedrinha pulando, a poeira subindo os boi dando oi nas cerca os cachoro perseguindo atrás.

Agora ele aqui parado no escuro olhando as mancha no meu teto sem descer nem buzinar e eu não sei se eu esfrio o motor e descanso porque ele vai dormir aí com a sogra e a cunhada ou se vamo encarar a estrada de noite daí. Dá pra ver a luz da televisão por trás da cortina da Elvira, do outro lado um velho varendo a calçada e se não fosse a moto passar e assustar na maior barulheira eu ia achar que o Carlos dormiu porque não se mexia.

Essa casinha da irmã da Guerlinda fica no fim dos paralelepípedo logo antes de virar tera, é bonitinha uma parede de cada cor e o varal na lateral com trocentas roupa de criança que essa daí vive apinhada de filho, já perdemo a conta de quantos e ela já deve até tá dormindo, se bobear o Carlos nem vai ter de cumprimentar porque ela pega cedo na loja ou sei lá onde ela trabalha, o que é que tem pra uma moça cheia de filho trabalhar nessa cidadezinha a gente fica sem saber né.

Não sei quanto tempo a gente vai ficar aqui ouvindo risadaiada dos guri no parquinho na praça ali atrás que já deviam tá em casa com a janta comida pra dormir que amanhã tem aula né. O Carlos começa de repente a catar as migalha de salgadinho do meu chão e jogar pra fora porque a sogra não vai gostar de ver essa sujeira, é tanta coisa que a sogra não vai gostar de ver mas as migalha ele pega uma por uma e vai raspando as mão pra fora. Pega finalmente a malinha murcha com a muda de roupa e duas compota e salta de mim batendo forte a porta pra ver se com isso não precisa tocar a campainha porque essa hora num domingo uma porta de caro batendo na frente da sua janela já é anúncio bastante.

Da casa sai um vulto e acende bem em cima uma luz manchada de muito inseto morto na lâmpada, é a Elvira, o Carlos caminha devagarzinho até ela e eles ficam assim se olhando um tempo a sogra e o genro até ele entrar no abraço dela e ficam assim um minuto inteirinho daí, e a Elvira estica o dedo no interruptor porque a luz é muita e eles no breu abraçado e agora ele deixou a malinha no chão e apertou o abraço e os ombro sacode um pouco e cada vez mais forte e eu acho que é isso, o Carlos tá chorando, um órfão que achou de repente algum tipo de mãe.

39.

A Maria a preparar-se para a escola, o uniforme avolumado na cintura que ela confere brevemente no meu reflexo, passa a mão no tecido como se pudesse fazê-lo no corpo todo, retirar as dobras, pronto, embala uma sandes em papel de alumínio e mete-a na mochila no meio dos cadernos,

— Alice, e a mãe, já tá na roça?

e a Alice muitíssimo mais lenta com a sua chávena de mate tenta desconversar para que não haja nenhum real interesse da irmã neste assunto, a verdade é que a Guerlinda esteve diante de mim mais cedo a maquilhar-se toda, à pressa porque já batiam palmas lá fora a chamarem pelo Carlos, e agora ela está com o orientador e um outro tipo da firma, sim, dessa vez vieram logo dois, não há nada de sinistro nisto, só vieram averiguar como é que andam as coisas,

— Não é nada demais, Maria, corre lá pra tua aula

e neste mesmo instante irrompem na sala a Guerlinda e os dois indivíduos que se põem a encarar a Alice na sua pouca vestimenta, mas ela não se abala, exibe a cuia no ar a oferecer um chá de mate que eles recusam subitamente pragmáticos, a mãe toca a Maria para fora

— Filha, já ouvi a perua, corre

e a sala fica uns instantes em suspensão, o calor, o cheiro a chimarrão, os homens deslocados do cenário a pigarrear e a procurar com os olhos o Carlos atrás da mobília,

— Uma pena, precisamos mesmo tratar com ele

— Mas o senhor viu como vai tudo bem, o baixeiro já quase tod

— Agora com essa lenha que deixamos pra estufa e mais os últimos venenos a dívida já fica bem volumosa né

e fazem uma pausa dramática a tatearem itens aleatórios da decoração como homens da casa de penhores à procura de valor onde não há nada, notam-me, os olhos a percorrerem as minhas volutas,

— Vocês têm de entregar um tabaco perfeito esse ano, tem de ser a folha mais linda da coxilha toda daí

— É que com essa seca

E a voz da Alice corta de repente a mãe

— E a folha pode tá igual ouro que eles não dão nada né.

— Alice!

— Mas é né, eu mesma se for comprar esse teu paletó aí, moço, vou falar que tá velho, tá feio, vou pagar o que eu quiser daí

e o homem dos pigarreios que não é o homem do blazer começa com a história dos critérios da avaliação da folha e a Alice começa a imitá-lo com caretas a mirar-se em mim, sou irremediavelmente cúmplice, o senhor do blazer olha para a rapariga que disfarça a mímica num sorriso gentil, lolitíssima nos seus poucos trajes,

— O senhor não dê atenção, não, ela tá nessa fase né.

— Pra encerrar, precisamos inspecionar o estoque dos defensivos

os homens avançam para a cozinha, a Guerlinda aproveita para verificar em mim o batom, os dentes, a saia

— E ver quanto vão precisar financiar pra essa fase final...

— É mas daí é com o Carlos mesmo, viu, porque o veneno é chaveado e eu não sei onde ele guarda a chave né

— Não sabe?

— Ele sempre escondeu, porque tem as crianças né...

Os homens olham-se entre apiedados, confusos e irritadiços, a Alice levanta-se e a exibição da figura perturba a Guerlinda,

— Alice, se veste direito e vai lá pra roça logo, já te alcanço

— Mão de obra vocês vão fazer como, safristas?

— Capaz, é isso que o Carlos foi fazer né, buscar a minha mãe pra ajudar, daí tem as guria na lida, esse ano não vai dar pra pagar por fora né, como o senhor mesmo viu, o que entrou ano passado não cobriu tudo, o Carlos tá achando melhor a gente fazer assim... em família mesmo

— Bom, uma pena que justo hoje ele não esteja, a intenção não era aborrecer a senhora com nada disso

— Ah mas vai tudo muito bem, a gente plantou mais ainda esse ano, até avançou ali onde tinha batata e

— A qualidade, dona Guerlinda, isso que vai contar no fim

— Ah mas os pés tão uma beleza, o senhor viu, se secar na roça a gente dá uma molhadinha antes da estufa né, pode confiar daí

— Bom, vai ficar pendente a coisa dos defensivos, então. A senhora assina aqui, é sobre a lenha que eu deixei hoje. É uma pena. Viagem perdida.

A Guerlinda enxuga as mãos na saia, apenas por hábito do avental, pois estavam secas. Assina o papel que lhe estendem, a lenha de reflorestamento, bem que a bracatinga podia servir a fornalha durante o mês todo, assim ficavam totalmente em família, sem os juros, os números, mais uma assinatura, a chave do armário dos venenos que ela procura com os olhos entre os frascos dos temperos, onde será que o Carlos a esconde, fica diminuída diante deles na sua ignorância de tudo, quer sentar-se, eu vejo, desabar no sofá e esperar que a mãe finalmente a acuda.

Acompanha os dois à porta, o mais alto cruza o próprio olhar em mim e desvia-o. Reparou que sou testemunha disto tudo.

40.

A Elvira girou o botão do rádio num volumão danado pra agitar o Carlos e fica falando por cima da música bem alto no meio da metaleira das minhas lata nos buraco e o vento que não refresca, esse sol, e às vezes ela segura firme no pega-mão e ri, depois fica muito séria, o legal da Elvira é isso de rir muito forte e parar de repente como se tivesse visto um fantasma, ela gasta todo o riso de uma vez e não sobra nenhum pra minguar no fim né.

O rádio termina a música pra anunciar remédio e o Carlos gira o volume até quase sumir, mas aposto que se arepende porque daí a sogra aproveita o silêncio pra puxar uns assunto mais tranqueira.

— Carlinhôs, tu sabe né... A coisa mais suja que um homem pode fazer é separar duas irmã.

Até a estrada ficou quieta.

— Isso daí, Elvira, é coisa da tua cabeça, não tem dedo meu aí não... As duas nunca se bicaram. Coisa do tempo de guria.

— Aposto que tu ia sofrer se a Maria e a Alice sumissem uma da vida da outra né...

— E vai ser desse jeitinho mesmo daí. Tu foi embora cuidar dos outros neto né, de lá pra cá as duas só se odeia mais e mais.

No posto me dão uma miserinha de diesel e uns sopro nos pneu, o Carlos volta com dois salgado e coca-cola. Deixa a comida no banco e joga uma aguinha no meu vidro pra tirar a tera, o rodo é um carinho bom que faz tempo não me davam, por mim nós ficava na estrada até o fim do mundo com a Elvira rindo e desrindo e a música alta daquela fita que ela comprou tem década e fica prà sempre no meu porta-luva daí, não tinha nunca mais os grito de porco morendo e o ardido dos veneno deramando no tereno.

Guiamo de novo e ainda falta tantas hora que é capaz que paramo pra comer de novo.

— E a roça, Carlos, esse ano tá sem complicação?

— Opa. Tudo certinho, plantamo tarde, evitamo a geada... Agora só que tá um pouco seco, mas logo chove, as guria já devem tá avançada no baixeiro...

A Elvira se perde um pouco com o olho na estrada, tenta sintonizar alguma música só que eu perdi todo o sinal nessa lonjura.

— Carlos... Mas fala aqui pra mim, verdade verdadeira. Tu ficou de graça com a guria no meio da plantação né.

— Meu Deus, tem quinze anos, que teimosia com essa besteira

— Ficou né

— Foi só um beijo ali no milho, uns dois minuto de beijo, tá bom assim? Tava nervoso com o bebê, cheio de conta na cabeça. Se eu soubesse que tu ia me amolar com essas coisa não vinha te buscar não daí

— Ah porque eu tava louca pra ferrar a coluna nesse diacho de auto velho pra depois ficar lá toda vergada na tua roça, era o que eu mais queria, é um favor que tu me fez, vir me tirar do meu sossego

— Tua filha quase morreu no parto do Pedro, Elvira, tu não veio nem conhecer o guri. Já anda, quase fala e tu reclamando de vir agora

— Não sou da lida, Carlos, eu morro de saudade de vocês, mas de roça não sinto falta não daí

— Tu fica querendo cismar que foi coisa de beijo, de separar irmã, de isso, daquilo né. Tu escolheu uma das filhas, isso sim.

O sol baixou direto no olho deles, o Carlos falou bem sério e depois agora ficou mansinho, é o que dizem, quem anda montado na razão não carece de esporas. A Elvira aumenta o rádio mas tá com anúncio, daí pra minha mais compreta alegria ela abre o porta-luva e tá lá a fita caseira comprada na feira da cidade que eu nem sei mais se eu consigo tocar no rádio com toca-fita que um dia mandaro botar e depois com os ano ninguém mais se importou daí, fico na torcida e pronto já começa no meio da Ave Maria bem chorada do Roberto Carlos em outra língua né.

Eu acho que vai sair alguma lágrima da Elvira, se não for de desaforo pelo menos de sol e de saudade dessa fita do Roberto, mas é o cinzento no olho do Carlos que fica embaçado, contraído de luz e ele funga e passa o punho no nariz e é capaz que isso seja sim algum tipo de choro e vamo seguindo contra o sol no meu sacolejo, que emoção é ser guiada assim de novo na estrada com esses dois que eu amo e a Ave Maria, eu só quero ficar com essa gente pra sempre.

A mão dele na marcha pra me apertar devagar nos pontilhão e daí a mão manchadinha da Elvira em cima da mão dele num carinho bem firme e ele puxa mais a fungada que eu não sei se é choro, eu acho que é choro, é choro sim.

41.

Alice e Maria já com as trouxas cheias de folhas. Acomodam na carriola que bamboleia entre os pés de tabaco, e também entre os pés humanos, doídos de arrastar a terra. Os chapéus gigantes são tudo que vejo quando estão assim dobradas sobre as folhas mais baixas torcendo os pulsos, o estalo contínuo da colheita. Guerlinda arrasta para dentro de casa o enorme cesto cheio das roupas quaradas no varal.

A Rural vem chegando, o motor inconfundível desperta os pássaros nos meus galhos, alcança o sono do Pedro no quarto quente. Vem retumbante, o Roberto cantando bem alto na fita, faz tanto tempo que não tocavam essa fita, e as irmãs deixam as trouxas e correm pela verga, se isto não é um filme não sei o que será. Vêm entre as folhas no desespero de receber a avó, mas no cuidado de não ferir o tabaco, que aqui vivemos por ele. Vão-se uns dois minutos até que elas conseguem chegar, ofegantes, douradas do poente, os cabelos grudados, contaminadas de nicotina, imensos sorrisos e braços abertos, já não há a música da Rural estacionada, praticamente saltam sobre Elvira.

A avó envelheceu nessa ausência, as netas mudaram tanto que percebo torções na intimidade entre as três, Elvira talvez esperasse duas crianças pequenas. Mesmo assim riem largadas na grama entre as minhas raízes, talvez sem pensar no tempo que passou, isso quem pensa sou eu.

Uma árvore também envelhece, descama aos poucos, troca de pele. Tenho rugas, o crescimento do musgo mostra a minha idade, os brotos nascem mais curtos e são sempre menos que nos anos anteriores. Meus galhos curvando aos poucos, um dia vão lembrar garras atrofiadas de reumatismo.

Não vou conseguir manter altura por mais tantas décadas porque vou perder força, não vou mais conseguir alimentar os galhos mais altos, que vão começar a morrer. As árvores encolhem como idosos, Elvira voltou dois centímetros menor. Ou talvez seja a diferença de altura das netas que confunde.

Pedro vem vindo com a mãe, traz um boneco troncho, o sapatinho de pano arrasta na grama enquanto caminham. Guerlinda traz um bolo já fatiado coberto por uma toalhinha. Quando nos alcançam, as três param de rir e sentam-se direito no chão, Elvira fica olhando a filha esticar a toalha na grama e apoiar em cima o bolo já fatiado. Pedro segura tímido o joelho da mãe, escondendo o rosto.

— Tá velha, hein, mãe. Teus netos te comeram viva né

— Tu que tá comida de sol e veneno. Senta aqui, dá um beijo na tua mãe

— Eu vou voltar lá pra montar um prato pro Carlos que senão ele esquece de comer

— Bah, senta aqui, mulher! Deixa eu ver esse guri.

Guerlinda se senta na minha raiz com um gemido, a lombar macetada da colheita. Abraça a mãe por trás, acolhe a cabeça grisalha recostada no ombro, o brinco de pérola plástica, o pescoço encarquilhadinho, úmido de calor. Pedro aceita o colo da avó e ficam assim os três empilhados conhecendo-se e reconhecendo-se rápido, eles sabem de amor.

— Vó, ano que vem eu vou ser minivereadora

— Não fala de boca cheia, filha

— E eu vou ganhar o Musa do Sol, vou trazer um baita dinheirão pra casa

— E eu vou fazer uma lei que é pra ter perua pro ensino médio aqui nas coxilhas de cá pra eu não ficar burra que nem a Alice

— E um cigarro hein. Vocês tudo entocado aqui no meio desse mato e não guardam um cigarrinho pra avó daí.

Alice põe o celular lá na frente apoiado num balde, programa dez segundos e corre de volta. Posamos para a foto que vai sair escura pela minha sombra, os rostos apagados sorrindo à toa.

42.

O Carlos vem do banho encharcado, já não desfruta das funções da toalha, o cabelo a pingar para o sofá. Olha o teto, incomodado talvez com detalhes de infiltração, larvas de moscas, falhas na pintura. Ou olha o teto sem ver coisa nenhuma, o corpo ainda a baloiçar da estrada. A Guerlinda para de dobrar a roupa apenas por um instante para lhe esticar um pratinho,

— Come pelo menos um bolo

que ele aceita mas apoia sobre o joelho bicudo e fica apenas a empurrar com o garfo. A Guerlinda senta-se à mesa, de frente para mim, atrás do Carlos. Não se olham,

— Carlos... O orientador e um senhor da firma tiveram aqui ontem cedo

ela dobra zelosa as roupas das filhas, depois os lençóis, mais desafiadores, a pilha já ocupa a mesa toda,

— Daí eles falaram da dívida, o negócio dos juros... Falaram um pouco mais da coisa da safra que não cobriu tudo, e da qualidade...

O Carlos fecha os olhos porque já nem o teto é bom de ver, menos ainda o bolo,

— Ficaram repetindo né, que esse ano a qualidade precisa ser isso e aquilo...

ele emite um ruído que fica entre o escárnio e o ódio, que significa o que já se sabe, que não importa a qualidade, eles é que vão decidir o quanto vão pagar pelas folhas, o que é desde já uma condenação.

— O pior nem foi isso, foi a humilhação... Que eles cismaram de ver o veneno, que não sei quê das quantidades, se é pra repor, queriam ver se usou pouco, se usou demais... E eu explicando que não tinha a chave. Eles não entenderam muito bem. Ficou estranho né, Carlos, não tá certo isso, eu acho. Eu tenho de saber cadê a chave dos veneno. Ficou feio daí.

Nem os passarinhos lá fora fazem agora os seus barulhos, ficou só o som abafado dos panos dobrados, os tecidos duros do sol a baterem uns contra os outros nas mãos velozes da Guerlinda

— Não que eu vá mexer né, mas nem saber onde fica a chave ficou chato pra mim.

O Carlos levanta-se lento, deixa o prato com o bolo em cima do lava-loiça. Ele massaja por dois segundos os ombros da mulher e suspira fundo, se calhar vai gritar que se danem os venenos, as vendas, os juros, que isto tudo já acabou e ficaram ali só fantasmas a perpetuar a lida em despropósito. Ela tenta beijar-lhe o rosto, mas ele começa logo a caminhar, agora na minha direção, a Guerlinda encerra por fim a dobradura obstinada e segue-o com os olhos, por cima da roupa.

Ele segura a minha moldura com as duas mãos no mesmo movimento que fizera nos ombros dela, e depois ergue-me suavemente, fico despegado da parede, pousa-me no chão mais para o lado, de onde me tirou vê-se certamente um retângulo mais claro de tinta limpa, onde suponho haja uma chave colada à parede com fita adesiva, sei-o pelo som que faz ao colar-se e descolar-se de cada vez que ele vem buscar e depois devolver a chave.

A Guerlinda assente com a cabeça, cerimoniosa. Noto-lhe um júbilo no canto dos lábios, honrosa detentora desta miséria de informação, digna governanta desta quinta pálida e tóxica. O Carlos agarra-me de novo pelos ombros entalhados, as pontas dos dedos brutos a sentir a minha pátina folhada, encaixa-me com cuidado no prego, a respiração embacia-me, deve cheirar a estômago.

Neste momento irrompem com azáfama as duas raparigas esganiçadas, a Maria corre trôpega até à casa de banho, ouve-se logo o som da miúda a deitar os interiores para fora.

— É que ela sua que nem uma porca e a folha molha debaixo do braço dela

— Alice!

— Mas é, mãe, ela tem que usar a roupa, não adianta, agora vai virar do avesso daí

A Elvira entra resplandecente, o grisalho dos fios de cabelo cintila nesta luz de cozinha. Conduz o Pedro pela mão, mas não tem talento para essas amenidades, distrai-se logo com o próprio reflexo e vem ter comigo. Sacode a terra da roupa e confere os dentes sem migalhas. Sorri para mim.

Mal posso esperar para ouvir a voz que deve estar ainda mais rouca com a idade, cigarros baratos, chimarrão quente nas cordas vocais, gritos exaustos para os cinco ou seis cachopos da casa da outra filha, a Elvira é magnífica. Põe-se a levar as pilhas de roupa para os quartos antes que lhe peçam para fazer alguma tarefa rural.

O Carlos não encontra um espaço em que possa fazer sentido aqui, então sai, provavelmente para alimentar as cabras.

A Maria volta em cambaleios febris, a avó abandona a cena da roupa e vem escorá-la no sofá. Afasta-lhe os cabelos da cara,

— Só nesta casa que a criança se enche de nicotina e a velha não ganha nem um cigarro!

A voz perfeita vem em ondas à minha superfície e estremeço. Elvira minha, Elvira minha, existe espelho mais belo do que eu?

— Mãe...

— Fala, Maria... Mas não fala muito que tu precisa sarar né

— A Alice colheu várias folhas que ainda não tavam maduras

— Cala a boca, tonta, vai lá vomitar que não sai nada melhor da tua boca

— Quietas! Assim que as duas recebem a vovó?

— Deixa, Guerlinda, com guerra de irmã eu tô acostumada.

A Alice folheia uma revista que estava ao lado da televisão desde ontem. Foi deixada pelo orientador da firma,

— O que é isso, mãe?

A panela de pressão começa o seu sussurro quente, a Elvira retoma a arrumação das pilhas de roupa,

— É a revistinha da firma, eles deixaram aí, são famílias assim mais de sucesso né, no tabaco aqui do Sul. Uma mulherada chique, umas bolsa de coisa de prata e tudo né.

A rapariga folheia mais depressa entre risadas, exibe as fotos para a avó que olha para elas à distância, desinteressada,

— Olha essa guria horrorosa, gente, eu é que devia estar aqui

faz uma pose com boquinha olhando-se em mim, um dos braços para cima de modo a empinar as mínimas mamas,

— Deixa de falar assim, Alice, pelo amor de Deus, que ninguém te aguenta

— Mãe, minha beleza te incomoda muito né.

— Olha, Alice, tem tanta coisa que me incomoda em tu.

43.

Elvira não ia aguentar de dor nas costas se colhesse o baixeiro, então é ela quem vem e vai com a carriola trazendo as trouxas. Depois fica sozinha ali no alpendre ao lado da fornalha atando as folhas às enormes hastes de madeira de onde penderão feito enforcadas para secar.

Hora do lanche e Guerlinda vem trazer o leite com sanduíches. Vai ter com as galinhas e deixa Pedro no meu balanço ao lado da comida que ele defende contra as cabras que agora passeiam soltas e vêm meter as fuças nos lanches, curiosíssimas. Carlos pega um pão e desaba sobre a grama. Alice e Maria reúnem-se à minha sombra junto da avó exausta de sol.

Alice apanha de cima do balancinho o celular e começa a filmar a avó, Maria dá risada e esconde a cara,

— Elvira veste uma linda roupa estilo roçadeira. Reparem na bermuda bem na linha do joelho, aqui nas canelas ela exibe picadas de mosquito

a avó ameaça pegar o celular, mas Alice rodopia e desvia,

— Na cabeça um belo chapéu amarrado com pano de camiseta velha, que seca o suor sem estragar o look.

A avó escancara a gargalhada e Alice direciona a câmera para dentro da boca que se fecha depressa encerrando o riso e reencenando a seriedade de sempre. Elvira rouba da neta o aparelho e continua o vídeo,

— Alice vem com seu macacão de pular brejo, que já foi o pijama da caçula. Ela não usa desodorante, então toda a coxilha sente o seu cheiro

— Vó!

Maria ri e Alice esfrega a axila na cara da irmã, tombam na grama perto do pai, que não se mexe. Ele está no seu ensaio de planta, suas raízes buscando a terra. As duas ficam ali deitadas com ele, Pedro corre até o trio, pede com sinais ao pai para montar nas suas pernas. Carlos, deitado de costas, ergue com custo o filho sentado em suas canelas e simula uma moto desgovernada. A risada de Pedro é tão alta e engasgada dos solavancos que Guerlinda corre espiar o que está havendo.

Elvira investiga o celular da neta até achar de volta a câmera. Faz muitas fotos, mas queria talvez fazer um vídeo para guardar a risada.

Devoraram os sanduíches com muito apetite. Os humanos têm muitas coisas bonitas, dentre elas isso de falar sobre a comida que comem. Falam com afeto, é importante que todos os comensais saibam o quanto estão apreciando, todos juntos e cada um deles, a refeição, mesmo que seja um breve sanduíche.

Fazem ruídos guturais de contentamento, o que me leva a crer que Guerlinda cozinha muitíssimo bem, põe gosto especial até em pedaços apressados de pão para o intervalo da colheita. Eu talvez pudesse sentir o gosto da comida da Guerlinda se me tivessem treinado desde pequena, ou talvez treinado os meus ancestrais, porque eu consigo muito bem sentir o gosto da saliva de um inseto e discerni-lo perfeitamente de outros.

Cada tipo de inseto que me mordisca é tão único que pelo sabor da sua baba eu consigo saber qual é. Então, posso convocar um exército de predadores adequados a essa praga. Com um cheiro ou outro chamo uma vespa, e ela põe seus ovinhos dentro da lagarta e pronto, a larva come a lagarta por dentro, e estou salva. Sozinha é tudo mais difícil, se eu estivesse no meio das minhas companheiras o chamado ia ser muito mais evidente e o apelo muito maior.

As pessoas têm isso também de saber que providências devem tomar diante de cada problema, talvez não com o paladar, não com o sabor, com todas as outras habilidades. Mas os humanos me parece que têm uma coisa obscura, que é saber o que é o certo, o que é o melhor, mas fazer o contrário. Como olhar uma praga se instalando e sentir a vertigem dela. Em algum lugar da mente eles querem a praga, querem deixar-se devorar.

Talvez seja parecido com as árvores sem mãe que crescem depressa demais e ficam ocas e fracas. A delícia de alcançar logo as alturas, no fundo somos todos cheios de vertigens.

44.

Passam o serão dispersos cada um nas suas atividades, a Maria novamente na casa de banho a deitar a refeição para fora, e a Guerlinda esparramada no sofá

— Filha, amanhã tu não escapa da roupa hein, olha lá, tadinha, tá se acabando toda de vomitar né

a ver a telenovela com a Elvira, que ao mesmo tempo faz palavras cruzadas em frente à ventoinha ruidosa. A Elvira segreda para a filha,

— Nossa, mas com este calor ela não vai aguentar daí

— Se tu render ela no baixeiro, ela fica no paiol pendurando as folhas

— Ah, isso não dou conta, me quebra a coluna e o ombro ali mesmo, vocês vão colher é uma velha dobrada no meio

e a gargalhada estoira num susto para se calar logo de seguida. A Alice saiu de casa com o telemóvel para tentar apanhar rede que é melhor na curva da estrada, o Carlos foi alimentar e ver das cabras, que estão muito esquisitinhas e pelo que percebi voltaram a comer as sementes ou os frutos de uma qualquer maldita árvore que há lá fora e vomitaram mais do que a Maria com a sua doença de nicotina, é o tempo das toxinas.

A Maria fecha-se para tomar o duche, ficamos aqui com os sons da telenovela, duas irmãs ricas servidas de um farto pequeno-almoço, a mesa em frente a uma janela virada para o mar, mas elas estão tristes e tensas, alguma coisa entre elas não está bem, o enredo escapa-me. O apartamento da telenovela é arejadíssimo e o sumo de laranja exuberante, mesmo com o barulho da nossa ventoinha é possível ouvir o gelo a tilintar no jarro, uma irmã serve a outra em silêncio, apesar do sumo e das torradas odeiam-se.

— Guerlinda... Tu vê aí que coisa né

— Que coisa o quê, mãezinha

— Duas irmã, tão jovem, aí, ó, na frente do mar e tudo

— E que é que tem?

O Carlos retorna das cabras, estão ótimas, recuperadas, ele é que não está ótimo, vai deitar-se mais cedo, não há disposição para estar em família, para esta família, antes ele trazia jogos de cartas, e um rapaz do coro trazia uma guitarra, já houve isso também, o Carlos no coro, hoje já não se sabe como seria a voz dele se cantasse.

— Carlos, leva o guri pra cama, que ele dormiu ali...

A cena das irmãs no pequeno-almoço continua, esta sala daqui fica no mesmo silêncio que a sala da televisão, sem o jarro imponente de sumo, uma das irmãs puxa uma conversa de heranças, um susto musical ressoa enquanto o foco vai para os olhos esbugalhados da que bebe o sumo,

— Hein, Guerlinda, não é esquisito... isso de duas irmãs se estranhar tanto?

— Ô, mãe, tu não vai ficar usando a novela pra caçar assunto comigo, não, viu, que eu não sou criança

— Pois parece criança, sim, onde já se viu uma coisa dessa, não pede nem uma foto dos teu sobrinho, no celular mesmo né... um feliz Natal, aniversário daí

— Então tu fala direto, ué, quer falar de coisa de família, então fala normal, senão o quê, tu vai esperar aparecer na TV uma cena de roça destruída pra comentar que nós tamo tudo lascado daí?

A Elvira continua com os olhos nas palavras cruzadas e conta as letras disponíveis, a caneta a bater nos dentes. A telenovela evoluiu para um outro núcleo dramático, um casal acorda apaixonado e seminu.

— Ia ser estranho, mãe, ficar com conversinha mole, foto disso, daquilo... não gosto de coisa forçada

— Tu sabe né, filha

— O quê?

— Que foi só um beijinho, uma coisa rápida...

A Guerlinda tira os olhos da televisão e volta depressa a cabeça na direção da mãe, a Elvira volta-se para ela, baixa a revista. A Guerlinda explode numa gargalhada que há meses não se ouvia por aqui, atira a almofada contra a mãe,

— Mãe, ô, mãe, ô, dona Elvira, pelo amor de Deus né. Isso daí era coisa de guria, eu toda recém-parida, demorando a acostumar com a Alice. O Carlos não valia nada e ainda bebia, isso daí me derrubou na hora, mas não tenho coisa com isso né. Hoje em dia se o Carlos quisesse beijar alguma coisa nessa vida tava bom...

— Mas então por que é que não se falam?! A gente cria as duas filhas juntinha no mesmo quarto, os brinquedinho tudo dividido bonitinho, festinha, daí elas cresce e fazem uma coisa dessa com a mãe…

— Sei lá, já não tinha muito assunto, cortou o assunto, foi morar longe, acabou. Que nem um vizinho que se muda, um amiguinho assim, de infância, que vai embora da cidade… E pronto.

O casal da telenovela enrolou-se debaixo do edredom para um amor matinal, a Guerlinda reclama que não lavaram os dentes quando acordaram e estão a beijar-se, estas coisas parecem muito falsas,

— Tu que podia ter um pouco de falsidade e ligar pra tua irmã e falar que tem saudade

— Mãe, tem mais de década que nenhuma escreve pra outra, fica sem assunto, não fica normal né

— Vai precisar eu cair doente pra vocês terem de resolver coisa junta aí vai ser assunto pra mais de ano!

A Alice regressa da estrada, um pouco de terra a fumegar dos tornozelos. Tem uma cara péssima de quem esteve a digitar parvoíces ao telemóvel com o palerma do Octávio, sem bons resultados. Bebe um copo inteiro de água sem respirar, manipula exageradamente o aparelho como se pudesse extrair dele alguma coisa que não foi dita,

— Filha, vai ver se a tua irmã tá bem, tava enjoada de novo

— Vai tu… Que tenho eu a ver com essas frescuras dela… Eu comecei de manhãzinha, segurei as mesmas folhas que ela, que ainda teve o boi de ir na escola antes daí.

A Elvira olha para a Guerlinda, sem dizer nada porque esta mulher é a única nesta casa que sabe quando as palavras não são necessárias, é a mãe de duas irmãs a olhar para outra mãe de duas irmãs, numa noite qualquer de verão no extremo sul de um país repleto de irmãs que, estas sim, sabem amar-se, a dificuldade que algumas pessoas têm de manter os laços mais simples, se eu que sou espelho tivesse sido feito junto a outro espelho e nos cortassem e entalhassem e adornassem juntos e depois nos pusessem um à frente do outro, tudo o que faríamos seria refletirmo-nos um ao outro em infinita reflexão, um para sempre contido no outro sem que nenhum se sentisse disposto a encerrar o reflexo do outro, e ficaríamos assim diminutos quase invisíveis dentro do reflexo dentro do reflexo dentro do reflexo, dois irmãos que não se terminam nem se sabem separar, ainda que também não saibam verdadeiramente unir-se, mas não é preciso tanto.

Foram todos deitar-se e a casa ficou apagada e sinistra, as noites muito quentes ficam iluminadas de estrelas e a luz do céu nas janelas cria sombras pouco amistosas, se estivesse aqui uma pessoa já ia culpar o espelho, o medo é sempre que se repare num vulto dentro do espelho, algo que não se possa ver fora do meu enquadramento, mas a um espelho não resta ninguém a quem culpar pelos pavores da noite.

Ouço ruídos na plantação. Se eu fosse um desses místicos dos programas de televisão, já ia supor um extraterrestre, um episódio paranormal. Sons de marteladas abafadas, interrompidas por breves silêncios.

A Maria desperta e apruma-se em direção da janela da sala, escondida atrás da cortina e sem acender a luz. Não se atreve a cruzar os olhos com os próprios olhos em mim, porque mesmo perante um barulho concreto os meus perigos no escuro são mesmo os piores.

Aguça a visão e de repente sai espavorida de casa descalça rumo à lavoura, na pressa deixa a porta bater atrás de si, o que acorda a Alice, muito menos disposta a heroísmos, que investiga sem grandes ímpetos a janela aparentemente sem localizar a irmã ou o que quer que seja.

A Maria regressa com a terra a subir-lhe pelos tornozelos acima,

— O que era isso, Maria?!

— O pai não fechou direito as cabras quando veio dormir, tavam brincando no meio da lavoura, não sei nem desde quando!

Então o trote encantador a ecoar entre as folhas eram a Aurora e a Madonna a apreciar a madrugada livres,

— Meu Deus, e destruíram as folhas?

— Acho que não, mas as duas tavam ali no meio, saltando! Quando a gente tá olhando de dia elas nem acham graça no tabaco daí

— Como será que isso aconteceu, ele esquecer assim a porteira né

perguntam-se como pode ter isso acontecido, mas já sabem, o pai está de alguma forma partido, não é o mesmo de há dois ou três anos. Quando eram mais pequenas, as duas muito entusiasmadas montaram um espantalho para o milharal, quiseram meter-lhe na cabeça um chapéu do pai, e pelo que vi levaram também uma camisa velha dele, e passaram a chamá-lo Espantarlos, tamanha a semelhança com o Carlos.

Pois isto que temos hoje pode muito bem ser o Espantarlos que ganhou vida — um pouco de vida, não muita, apenas o suficiente — e tomou o lugar do original. Temos um impostor de olhos vazios, que além de tudo agora deixa as cabras livres para destruírem o tabaco com as suas tropelias.

A Alice leva a Maria pelo ombro para lhe lavar os pés. Talvez sinta alguma coisa neste instante por ela, algum tipo de amor muito específico, que só podem sentir as jovens quando dão com a irmã mais pequena sozinha de madrugada a salvar a família no que ainda se pode salvar.

45.

A Maria veio toda chateada me pegar do cabide, parece que ela passou muito mal por causa que a folha de tabaco solta nicotina nela e ela não aguenta, tem gente que aguenta e ela não. Viemos colher juntas só que o sol é tanto que ela já tá inteira suada em mim, e eu sou meio de plástico e grudo e enrugo, eu sou mesmo insuportável.

Estamos acabando de colher as folhas mais baixinhas, então ela tem de ficar toda dobrada e eu atrapalho muito, mas só que ela é gentil e não me xinga que nem a Alice me xinga na hora do remédio. O Pedrinho vem junto segurando a trouxa pras irmãs irem apoiando as folhas, e ele é tão pequeno que aproveita toda a sombra do tabaco de cima.

Eu e a Maria ficamos com uns cinquenta graus aqui embaixo do sol, ela torce a folha e bota debaixo do braço, mas eu sou meio grossa ela nem sente direito as folhas e pode acabar apertando demais, vai estragar. A Alice é que tá certa, eu sou uma porcaria que não serve pra nada.

Depois de uma hora nesse sol já deve ser que eu passo dos cem graus. A Maria começa a ficar tontinha, ajoelha no chão de repente, apoia as mãozinhas na terra. As folhas que estavam debaixo do braço na minha manga caem tudo no chão e o Pedrinho corre pegar e botar na trouxa.

A Alice ri, pergunta se ela caiu, mas a Maria não consegue nem responder aqui presa em mim. Agora deitamos, o sol estourando no olho dela, o cabelo todo molhado de suor grudou tudo na boca. A Alice vem correndo e começa a me arrancar depressa, eu com medo de rasgar, eu sou a mais nova das roupas se ela me rasgar daí quero ver na hora do remédio.

Vou ficar largada aqui no meio da lavoura, a Alice tenta arrastar a irmã pra alguma sombra, pega uma folha maior e abana muito, manda o Pedrinho trazer o cantil de água e eles jogam nela. O tio Carlos vem correndo da outra verga com a trouxinha dele e me tira da Maria com mais jeitinho, ela sentada respirando, já, já ela tá boa, dessa vez elas falam que eu sou a maior merda que tem.

46.

Dos meus galhos mais longos posso ver Elvira no paiol ajeitando as folhas no que eu gosto de chamar de forca. Ficam ali costuradinhas nas tábuas longas para depois penderem condenadas dentro da estufa. Mesmo na sombra do alpendre Elvira transpira.

Eu também transpiro quando há umidade, e o suor das minhas folhas encostadas à parede da casa deixa uma constrangedora mancha, perpétua. Se transpiro colada ao telhado é ainda pior, instalam-se os musgos, que depois são carregados aos pedaços pela chuva e entopem as calhas. Não sei como não me derrubam daqui, ainda outro dia desses de novo as cabritas mastigaram meus venenos e abriram o berreiro reviradas para fora.

Vejo um alvoroço na lavoura, arrancam a roupa de segurança da Maria, agora abanam com folhas. Carlos tenta pegá-la no colo, mas não consegue. Arrastam a criança pela verga, Alice ampara a cabeça. Quando chegam aqui ela já despertou, suadíssima. Pedrinho se aninha no corpo dela deitado na sombra, festeja a vida da irmã sem saber mensurar o tamanho real dos riscos. Maria ri e se encanta com esse afago,

— Te amo, guri.

Eles sabem tanto de amor.

Elvira se aproxima lentamente. Ela é como eu, nunca tem pressa. Carlos volta para a lida, já não é tempo de muitas pausas e ele está num bom dia. Sinto que este lugar arrendado e castigado já não é viável, mas sinto isso sozinha no silêncio terroso das minhas raízes. Os humanos são apegados, são consumidos por alguma coisa que as plantas não conhecem, talvez seja esperança.

Às vezes, parece que eles têm mais raízes que eu. Até mesmo as árvores precisam cuidar de mudar o futuro. Aos poucos espalhar no vento sementes bem distantes. Ao longo dos séculos, se nos olharem por cima num mapa, vão notar que migramos, ocupamos outras regiões e não há mais nenhuma de nós lá onde primeiro estivemos. Se não cuidarmos de fazer isso, a natureza nos extingue, que até consigo mesma a natureza é implacável.

Não sei se é esperança a coisa que eles têm e não tenho. Não sei se não tenho, uma árvore espera que o inverno seja duro como o inverno, e que o verão seja cáustico como o verão, prepara-se para ambos. Se vem um fungo, cuida de tentar expulsá-lo, nada disso é esperança.

As pessoas preparam a lavoura nas datas mais indicadas e só resta torcer que não venham as geadas fora de hora, e que a colheita seja próspera, que a fumageira pague muito bem. Já não sei se isso se chama esperança, talvez as raízes que fincam aqui se chamem medo. Talvez se chamem dívida.

Gostaria de deixar aqui registrado outro pensamento meu: mais uma coisa que as árvores não têm são as ilusões. Ilusão é um conceito que eu confundo um pouco com a esperança. Olhando assim de cima, acho que a ilusão é a esperança afobada.

Maria quando novinha tinha uma ilusão, que era o Papai Noel. Ela precisava disso acima de tudo, porque era uma ilusão mais fácil que Deus. Havia um presente comprado às escondidas, no meio dos trabalhos com a fornalha o Carlos ainda tinha a energia para a fantasia recheada de almofadas. Maria era tranquila porque durante o ano todo podia imaginar que lá estava o Papai Noel espiando as suas condutas, catalogando os seus méritos para premiá-la, então nunca era sozinha.

Se um dia qualquer um deles fizesse algo que fosse errado demais, que não se pudesse retroceder, Noel interviria, daria uma imensa bronca e os privaria dos presentes de fim de ano, mas não deixaria que nada passasse da conta. Papai Noel era uma espécie de mãe onisciente, compassiva e rica.

Nós da natureza definitivamente não temos isso de ilusões. Temos justas expectativas de que as coisas sigam seus ciclos, mas não podemos entender o que é isso de criar uma ideia impossível e cultivá-la, propagá-la aos filhos, talvez para que sejam felizes enquanto podem.

Com Maria assim tão enjoada das folhas de tabaco, prolongam o repouso na minha sombra. Guerlinda traz o mate e o bolo já fatiado e também um álbum de fotos debaixo do braço. Entrega para Elvira,

— Pega aqui, mãe, vai cair

e recostam-se todas no meu tronco abanando-se com os chapéus. Elvira estranha a presença do álbum

— Acordou romântica, foi?

— Besteira, mãe, só pra distrair tu e as guria né

— Olha, esse é o papai!

E Alice dá risada de Carlos tão novo na foto, é proibido aos adultos terem sido jovens demais. Talvez seja pelo vexame das ilusões escancaradas na cara quando o futuro já se encarregou de lavá-las. Na foto Carlos segura um imenso peixe recém-pescado cujo contexto Guerlinda nem consegue lembrar, era um imenso peixe irrelevante que o enchia de contentamento.

Na outra página, Guerlinda novíssima na caçamba da Rural acariciando sua gravidez. As filhas olham a foto em silêncio porque tudo é impossível, que aquela jovem seja a sua mãe, que aquela jovem seja quase mãe, que já estivesse casada e com as ilusões inteiras firmadas e arrendadas nesta terra. Desta foto não puderam rir.

— Foi nesse dia, Alice. Grávida de tu.

— Foi o quê?

— Que o teu pai disse que me amava... Ou foi o dia que eu acreditei. E respondi daí.

47.

Tocamo pra cidade com a caçamba cheia de pêssego e compota da Guerlinda, a Elvira vai na frente babando fruta e rindo e limpando a mão na roupa enquanto o Carlos estica um pano de pó pra ela e ela não quer porque é o pano sujo da poeira dos meus espelho.

As guria vai atrás segurando as caixa e as caixa vai segurando elas, o Pedrinho pede pra ir atrás também e ele todo ajeitadinho pra festa da igreja e a Maria ensaia fingindo um microfone pra abertura do festival do pêssego

— Cala a boca, Maria, tu já é quase moça ninguém vai te chamar no palco né

e eu também penso que esse ano pode ser a última chance porque ela já vai mesmo ganhando um tamanhão e ninguém quer ver um anúncio de temporada dos pêssego sem a fofura de uma criança bem criança.

A Elvira liga o meu som e a fita que já rodou dos dois lado tá de volta na Ave Maria e em vez de tirar ela canta junto só a parte que fala Maria que é pra Maria lembrar que ela pequenininha pensava que a música era pra ela daí, era a guria mais feliz do mundo quando voltavam a fita só pra cantar de novo Maria! Mariia! e ela com um baita sorisão, a cara confusa e a avó fazia o sinal da cruz porque é meio pecado fingir que a música era pra essa nossa Mariazinha né.

Até chegar na cidade já encheu de poeira na roupinha dos guri, mas tudo bem porque eles não liga e a Guerlinda ficou na lida porque de uns tempo pra cá eles não descansam mais todos junto, sempre tem de ter alguém pegando no pesado pra nenhum dia ser perdido, a vida é dura mas tudo bem, quanto mais se golpeia a massa melhor sai o pão.

48.

A Guerlinda exausta murcha deitada no sofá quente, a face inteira afogueada do sol e suada da colheita, a casa tarda a arrefecer no fim do ano, eu mesmo estou a suar, estivesse aqui um dos miúdos e podia fazer-me um rabisco qualquer com os dedos nesta humidade, se calhar até desenhava uma indecência, que os cachopos de hoje, eu cá sei, não acho piada nenhuma a isto.

Senta-se num ímpeto que logo a seguir dissimula, há que esconder de si mesma e portanto também de mim esse rasgo de ideia que não sabemos, nem ela nem eu, qual foi. Por essa razão são necessários alguns segundos mais até que seja seguro levantar-se e comportar-se em conformidade com o impulso inicial. Abre com dificuldade as gavetas sob a televisão e extrai delas tantos papéis quanto consegue em duas braçadas, senta-se no chão a examiná-los, não compreende, ilude-se que seja a falta de luz e aproxima-se da janela, são pequenas as palavras e múltiplas as páginas, há papéis datados de há mais de uma década, a assinatura do Carlos em cada folha, impossível que alguma vez ele as tenha lido, há anos que já nem é capaz de ler uma frase com a velocidade necessária, os homens com os contratos estendidos, as folhas sacudidas no vento das mãos agitadas, um excelente negócio e pode mesmo vir a ser, mas o que certamente consta em alguma daquelas linhas é que pode vir a não ser um excelente negócio e neste caso o aperto de mãos já não sabemos se estará lá, uma lástima.

A Guerlinda não percebe o conteúdo dos papéis, são dizeres feitos mesmo para não serem compreendidos, devolve-os às gavetas em montes ainda mais ininteligíveis, calca-os em definitivo para dentro delas como se fossem urnas de ossadas antigas que o município desenterra, reacondiciona num novo formato e encerra em gavetas verticais, uns dizeres com o nome do morto e não se fala mais nisso.

49.

Quando já tão terminando de baixar as caixa aparece o apagado do Otávio pra oferecer uma ajuda inútil, ficou até agora cuidando dos pêssego da própria família e vem fingir que se importa com os nosso daí, se faz de leitão vesgo pra mamar em duas teta. Na festa da igreja um palhaço joga balinha pra gurizada e faz graça com uma buzina, mas ninguém nem ri, a Elvira se abanando com o folheto de santinho e segurando a mão do Pedro que pede colo porque tá com medo do palhaço, mas ela não sabe acalmar o piá

— A vovó tem medo dele também, Pedrinho, pronto, pronto.

a Maria aplaude muito forte o palhaço porque pode ser que tenha pena dele, dá uma risada bem alta de um truque que ele faz muito desanimado, a plateia até olha pra trás pra entender de onde vem o riso e é a Maria de pé com o algodão-doce grudado na bochecha e agora os chumaço nas duas mão. A Alice começa um beijo comprido e molhado no Otávio, as mão dele na cinturinha dela que tá de fora na miniblusa e o Carlos cansado se faz de salame ajeitando os pêssego pra venda, mas também de toda forma só dá mesmo pra fingir que não vê, vai fazer o quê, o beijo molhando molhando molhando pra fora das boca porque eles não têm muita certeza se querem mesmo beijar com esse calor.

A Elvira cutuca o casal e entrega o Pedro pro colo do Otávio que segura sem entender, mas também de toda forma só dá mesmo pra segurar e pronto, o que mais se pode fazer quando alguém te estica um piá chorando, ainda mais um que quase nunca chora, um guri tão bonito. Alice estica o braço e tira uma foto deles tudo junto, e o Pedro olha pra tela mesmo choroso porque ele sabe o que é uma foto e pra foto sempre precisa olhar né.

Depois a Alice vai de novo com o caderninho de pessoa em pessoa pedir a contribuição pra inscrição no desfile do Musa do

Sol, que ela vai representar o município e tudo o mais, desde o começo do ano essa arecadação toda, já ouvi gravar vídeo em cima de mim com os cabelo voando dizendo que vai trazer a medalha pra cidade e mandando beijo. Otávio fica sem jeito com o Pedro no colo sem saber onde botar.

Alguma criança já anunciou no microfone que tá aberta a temporada do pêssego e a Maria nem percebeu daí, o barulho dos foguete assustou mais ainda o Pedro mas já passou. A Elvira senta de volta aqui no meu banco do passageiro pra fumar olhando o teto, ela gosta muito de olhar o meu teto.

50.

O jantar servido, os miúdos lavados e sonolentos a sorver preguiçosamente o caldo quente demais para o tempo que faz,

— E, mãe, tinha um palhaço sem graça nenhuma, só a Maria gostou

— Eu não gostei coisa nenhuma, é que eu sou educada né

e a Elvira com um bocado de pão na boca a dizer, enquanto mastiga, que a Alice na verdade pode nem ter reparado no palhaço, já que estava com a cara inteira metida na boca do vizinho, e dispara uma gargalhada breve com o miolo do pão na língua, como não amar esta mulher, gargalhada calada de repente, a Alice amuada com a avó, mas sem perder a ternura, atira-lhe um ovo de codorniz cozido, ainda por descascar, e a avó endurece o discurso,

— Na verdade, gurias, esse palhaço é a prova de que a gente tem de escolher uma profissão que dê pra fazer mesmo quando a gente está de mau humor ou muito, muito triste né

e a sala fica repleta de sabedoria, o ar denso, as carinhas iluminadas, é isto, a profissão do cômico é uma tortura porque ele não pode nunca estar num mau dia, toda a gente nota. A sala fica imersa em sons de colheres nos pratos, línguas tirando o miolo do pão do céu da boca e uma discussão exaltada na telenovela, foi o tempo de a Maria pensar em toda a sua vida e calcular as vantagens e angariar muita estima pelo seu futuro,

— Na lavoura não tem problema trabalhar bem triste.

51.

Hoje Guerlinda não senta à minha sombra para o lanche, deixa os sanduíches e vai render Elvira no cerzir das folhas que depois vão pender enforcadas na estufa. As três estão mais famintas que de costume, o suor dos humanos tem isso de incomodar os olhos, então elas comem de olhos fechados. Isso dá ainda mais impressão de fome.

Com o ano assim no final, será que já não escoaram todo o dinheiro da safra do ano passado, começo a me perguntar se Guerlinda pode estar poupando refeições. Já não compram dos sítios vizinhos as batatas que faltam, e pelos potes de compotas que levaram, a julgar pelo número de pêssegos que colheram, alguém poderia especular que tenham ficado diluídas. Já não seriam as mesmas de outros tempos, é isso que dá quando se almeja a quantidade em vez da qualidade, dirão os que compraram na feira.

— Vó, esse ano que a senhora tá aqui, vai ter Natal?

— Como assim, Maria? E nos outros anos não tem? Como é que é isso?

— Ela quer Natal assim com Papai Noel e tudo né

— Bah, não tem nada a ver

— Certa ela, Alice... Papai Noel que é bom né... Papai Noel foi o único deus que nunca me deu medo.

Mastigam os sanduíches já quase no fim, o sol de hoje me deixa confusa, a bracatinga histérica gritando de sede. Eu já lhe disse que não há nada a fazer, que tivesse poupado na enchente.

— E por que, vó... Isso... de medo de Deus

— Pensando bem, eu tive medo do Papai Noel também, vocês duas também deveriam ter né... Não sei, sair dando confiança pra homem barbudo poderoso que sabe tudo que a gente faz, eu hein.

Elas riem do jeito encabulado que às vezes ficam quando a avó fala.

— Ô vó, a Maria era viciada em Papai Noel...

Ninguém mais lembra, só Alice e eu, talvez Maria. Só a nós aquela tarde varou assim. As duas pequenas vestidas para o Natal, Maria exultante com o bom velhinho que ia trazer um estojo de lápis de todas as cores do mundo que ela passou o ano pedindo. Não foi calculado, não, Alice também era pequena, nessa idade não é possível que tivesse previsto o estrago,

— Tava quase na hora, eu chamei ela nesse mesmo lugar daí, debaixo dessa árvore né... Falei, vou te mostrar um segredo, pra tu deixar de ser tonta

e levou a irmãzinha pela mão até a janela do quarto dos pais. Ergueu-a solene, como um professor que alçasse um discípulo à epifania. Pelo que pude ver, Carlos já tinha o gorro e a calça vermelha, os travesseiros ao redor da barriga formando a simpática pança, faltava apenas abotoar o camisão e uns detalhes. Maria demorou a acreditar no que via, o pai atarantado bagunçando a cama tateando o lençol à procura da barba branca e dos óculos falsos,

— Daí eu achei que, sei lá, ela ia fingir que já sabia... Ou ia achar bom que o pai tivesse todo esse trabalho pra ela né.

Mas os olhinhos da Maria só foram enchendo devagar, que é uma coisa difícil de ver em criança. Não vinha o choro rasgado e convicto e desmesurado da infância, vinha aquela dor lenta que uma árvore não sabe sentir, que deve ser desilusão. Foi um ramo enorme que ceifaram dela e o olho chorando devagar era isso, era algum tipo de fim.

— Hein, Maria, tu lembra?

— Não lembro não...

— Nunca vi ninguém acreditar daquele jeito em nada, como é que eu ia saber né... Nem o padre acredita em Deus daquele jeito que tu acreditava em Papai Noel...

Maria agora quieta investigando essa primeira dor, deve pensar que naquela noite aprendeu algo importante sobre o mundo, mas não. Foi Alice que, olhando a irmã transtornada, entendeu alguma coisa que não lhe escapou mais, talvez tenha sido a maldade.

52.

As paredes desta sala transpiram, estamos todos envoltos nos vapores da comida ao lume, não há nada que abrande este calor, nem mesmo a chuva que faz alguns dias desaba a vingar a seca, não se tem paz, ou são as geadas, ou o granizo, ou a seca ou o dilúvio que está agora de certeza a alagar a plantação. A cara da Maria diante da janela alumia-se a cada relâmpago, o Pedrinho dormita abraçado ao leite morno que pinga lentamente da tetina do biberão, que ele desde bebé só adormece mesmo com o biberão à boca.

A ventoinha ruidosa folheia o caderno da Maria, a cada passagem do vento sobre a mesa é a mesma dança da ponta do naperon e das folhas dos desenhos e projetos de minivereadora, por estes dias já não há aulas, são férias de verão, e de todo o modo a carrinha escolar com o temporal não chegaria aqui, os pontilhões devem estar todos submersos em rios de lama, estamos ilhados, se rebenta em alguém uma apendicite morre-se.

No domingo vestiram-se todos para ir à missa, viria até cá um autocarro para levar toda esta coxilha à missa de sétimo dia de uma figura qualquer das empresas de tabaco, a Guerlinda estava entusiasmada para rezar com o melhor vestido, passou a mão no rosto sardento bem próxima de mim e sorriu com pensamentos metade em Cristo metade em qualquer lampejo de juventude que não me explicou, virou-se logo na direção dos primeiros trovões como se viessem literalmente da janela e não talvez desse mesmo Deus que ela ansiava visitar,

— Ver um pouco de gente, rezar um pouquinho né

e o céu veio abaixo e não houve autocarro e talvez nem mesmo missa tenha havido e ficaram todos desde então aqui encafuados, a aproveitar cada intervalo da chuva para colher o que ainda vive, voltaram com lama até aos joelhos, é de se supor o atolado que aquilo deve estar.

Chove a potes e com ventos tão indisciplinados que nem puderam preparar a estufa e começar a secar o baixeiro. Houve uma ligeira aberta e o Octávio veio cá trazer chá de mate a preço de vizinhança e exibir a sua dentição proeminente em frente à Alice, e no fim ficou sentado aqui ao pé de mim com o focinho enfiado no telemóvel a jogar uma coisa que emite barulhinhos sistemáticos.

A Guerlinda está ao lume a ferver o osso da galinha de ontem, o cheiro julgo ser hospitalar, uma essência de canja.

O Carlos aproveitou o torpor da tempestade a arruinar ainda mais as finanças para dormir bem no meio da tarde como se tivesse a idade do Pedro. Alice finge que não há nada a temer quanto às enchentes, está há pelo menos um quarto de hora a ensaiar o desfile à minha frente, ajeita o cabelo para o lado, quebra as ancas diminutas, desaprova, refaz a passarela, olha a ver se o prognata do Octávio tirou os olhos do telemóvel, não.

Num estrondo mais violento da chuva que faz vibrar o vidro da janela, a Maria recua assustada e quase cai sobre a televisão ligada baixinho num programa da tarde sobre intrigas familiares. Vai sentar-se à mesa com a avó perfeita que está compenetrada a descascar ovos de codorniz.

— Maria, no tempo que tu descascou um, eu faço quatro

— Tu faz mágica né, que essa coisa não desgruda, vó.

O Pedrinho desperta húmido, caminha trôpego com o leitinho até à mesa e pede colo à irmã, que agora vai ter ainda mais dificuldade com os ovos de codorniz, por conta do cachopo aninhado no colo.

— Vó... Se a chuva estragar demais... o pai vai fazer o quê?

A Elvira olha para a janela a estalejar de luzes e estrondos, enxuga o suor com o punho,

— Ó, bota a unha assim, e fura, fura mais fundo né. Vai! Fura acreditando, Maria, assim.

O Pedro pega num ovo e começa a puxar pequenos e múltiplos pedaços de casca que lhe ficam colados aos dedos,

— Enfia a unha de uma vez só, mais fundo, e puxa assim tudo de uma vez com essa pelinha aqui

e o miúdo mete logo o dedo todo para dentro do ovo cozido, a Elvira solta apenas uma única gargalhada impaciente e continua a falar só para a neta, confidentes,

— Tu não pode deixar nadinha a cargo dos homens. Ó, assim. Parece que vai machucar o ovo, mas não machuca, é só acertar a força.

— Se estragar toda a parte de cá da plantação, vó, o que vai ser né

— Viu, sai num instante a casca, ó aí que bonitão. Homem nenhum, Maria, não deixa homem nenhum cuidar dos teus assuntos, é o que eu sempre digo, tem coisa que a gente só aprende velha né. Já disse uma vez pra tua irmã, a pior mulher vai fazer mais que o melhor homem

— Coitado do Pedro, nem é homem ainda né. Dá um beijo, Pedrinho... Logo mais tu aprende tudo daí.

A Alice encolhe a barriga inexistente, espevita o peito que também não é muito, intumesce os lábios para uma foto que sou eu, não há outro lugar onde ela queira estar, ninguém domina como ela a arte de não ambicionar nada que os olhos não estejam a fitar, preenche-se da vastidão da sua imagem em mim e talvez seja mesmo muito bela aqui nesta sala escura craquelada pelos relâmpagos, os ruídos do telemóvel do Octávio, a discussão acirrada na televisão, se eu pudesse tornava-me mesmo uma foto sua nesta tarde que não voltará mais.

— Vó, e isso de pior mulher e tal

— Que que tem, Maria

— É verdade isso?

— É, ué

— E se o pai ouvir

— Deixa ouvir né, se ele quiser provar que é melhor que a gente, fica bom daí

— Mas eu posso falar isso na escola?

— Capaz! Falar o quê?

— A frase… tua. Até a pior mulher faz mais que…

— Bah, Maria! Claro que não né, guria, se bobear é tudo ao contrário e eu que confundi, a gente é tudo umas tonta! Minha Nossa Senhora, viu…

Continuam a pelar os ovinhos, a Maria cada vez mais veloz, em um, no máximo dois movimentos já tem a casca inteira fora, mesmo com o Pedro ao colo distraído agora com o biberão e a contenda na televisão,

— Falar na escola… Porra…

A Maria ri-se do exagero da avó, com certeza a miúda já planeia usar o discurso na sua tomada de posse como minivereadora, senhoras e senhores, a pior mulher faz mais etc. etc.

A Guerlinda regressa refrescada do duche, o cabelo a pingar pela sala apesar da toalha com que ela o esfrega,

— Baita toró de água… Alice, falei pra tu olhar o fogo, a lentilha tudo seca aqui! Que inferno de guria!

E os debates do programa ao vivo ficam cada vez mais misturados com os da sala e abafados pela chuva, a Alice não deixa de me olhar congelada na fotografia que sou, todos a fingir que o Octávio não existe apesar dos barulhinhos, se calhar muito aflitos a temer que a chuva não pare e ele fique para o jantar que já é escasso, mas antes mesmo que este pavor se consolide a Alice tenta forçar um gesto carinhoso que leva ao *game-over* e ele irritado sai logo num enfado sem aguardar por uma estiada, ficam todos aqui estarrecidos a esperar que o telemóvel se molhe todo no caminho.

53.

Os homem com as prancheta nem bem parou a chuva já brotaro no meio da lavoura, o colono não tem um dia de paz, as estaca de fumo pelada murcha da cheia, toda a parte aqui debaixo perdida, parece mais um campo de vassoura verde fincada na tera, na hora que era pra vim ajudar a tirar dor de cabeça do veneno, arumar a roda torta da cariola nessa hora não viero né.

Se deixar ainda cai até granizo e as folha vão ficar tudo moída de pedra.

A Guerlinda nem ouviu o assunto porque tá lá enfiada no bareiro catando capim pras galinha faminta de três dias de chuva, o Carlos no sol coçando a nuca e os dois homem com as prancheta anotando e balançando a cabeça, o Carlos agora com os braço pro ar improrando qualquer coisa.

54.

As galinhas cacarejam enlouquecidas com o capim, as cabras festejam nos seus doces pulinhos, no que depender dos animais estamos agora todos felizes. Daqui de cima vejo os homens da firma, contorcem os rostos para o barulho como se não fossem também colonos e não soubessem nada de bichos. Com as pranchetas condenam a enchente, a tempestade, mas pelo gestual é o Carlos que eles condenam.

Caminham ao longo da verga anotando prejuízos. Vêm em minha direção e me lembro que sou natureza, pende sobre mim novamente o estado de cúmplice, e ainda assim não parecem notar nem mesmo sob os pés as minhas favas tóxicas derrubadas todas de uma vez, minha folharia devassada do vento.

55.

A Guerlinda voltou há pouco das galinhas e foi logo para a casa de banho para refrescar a cara, ajusta agora diante de mim o avental sujo de lama, passa à pressa um batom rosado que esconde no bolso no instante em que avançam pela sala dois homens, os dois homens da tabaqueira, com a sua prancheta e um Carlos combalido que arrastam atrás de si como uma cauda jurássica, a Guerlinda simula a concentração no tacho mas estica-se toda para que a vejam os homens que parecem conseguir ver através dela, já é um fantasma de mulher, os dois cospem números e juros, o Carlos lastima

— Esse lado de cá ficou assim tudo picadinho, mas só a folha debaixo era desse tamanho, a belezura que era

e nisto Guerlinda mete-se na prosa

— E o milho, já tava tudo bonito começando a pendoar, ficou um fiapo só daí

e com o som da voz dela ninguém se abala, os três continuam os seus assuntos, o Carlos pega um fôlego de optimismo,

— Mas toda aquela parte debaixo que o vento não pegou, e bem lá pra cima que não empoçou, tá salva, vai render bem, virou o ano a gente já entrega tudo do bom daí

e falam as palavras todas que talvez a Guerlinda tenha enterrado na urna das gavetas debaixo da televisão, arrendamento, amortização, juros, o discurso engrossa e encorpa nas barbas deles, meneiam as cabeças a lamentar, como se sofressem de verdade pela família, e se calhar sofrem mesmo, é com piedade que aos poucos trazem a constatação de que a lavoura não vai nada bem e não é de hoje. São piedosos, decerto, só estão ao serviço de um patrão que por sua vez só quer o que lhe é por direito sem intenção de magoar ninguém, que todos saibam, o fracasso de uma colheita seria lamentável para todos, deixemo-nos disto então e vamos todos ao trabalho que o baixeiro está a salvo no paiol e resta ainda toda a ala à direita da bracatinga e se erguerem as cabeças ainda vão fornecer do melhor tabaco, quem lá fora prender nos lábios um cigarro feito por esta família há de sentir o júbilo de um colono guerreiro, que não sucumbe diante de uma qualquer intempérie. Pois vamos a isto, guerreiros!

56.

Elvira e os netos vêm chegando com o que puderam colher hoje na área que a chuva poupou, o sobe e desce das terras salvou todas as vergas para lá da bracatinga. Pousam as trouxas no paiol e logo notam os homens que saem agora da casa dando dois tapinhas no ombro do Carlos. Maria tensiona os dedos apertando as folhas, Alice cotovela de leve a irmã e voltam à lavoura.

Elvira fica no paiol, curvada sobre a tecedeira, enforcando as folhas para a secagem. Uma velha de contos de fadas cerzindo alguma espécie de manto de ouro para a nobreza do castelo.

A chuva já parou desde ontem e eu continuo chovendo, tanta foi a água nas minhas folhas. Houve um momento em que eu já não via nada, apenas sentia a lama correndo por cima das minhas raízes, talvez como a Rural se estivesse na estrada com o vidro empapuçado de chuva. A minha ramalheira açoitada pelo vento, o medo que Elvira e eu temos deste nosso Deus implacável.

Não foi desta vez que tombei, tampouco o telhado da casa, ou janelas, e mesmo boa parte da plantação ainda de pé pelo milagre dos aclives, talvez Deus esteja aí, e não nas chuvas.

Pelas minhas contas Carlos vai acender a fornalha amanhã logo cedo, a tempestade nos atrasou. Pelo menos agora acabou o grito da bracatinga cheia de sede. O silêncio é quase total, só os pássaros revivendo a felicidade de serem pássaros, e motores distantes em outros cantos da coxilha. Pela lonjura da outra ponta da verga já quase não ouço o celular no bolso da Alice tocando música sobre amor e vaquejada.

Quero estar amena com o silêncio, mas fico sempre com aquela impressão de que é este silêncio que antecede grandes tragédias.

57.

Deitaram-se hoje muito cedo, porque é a última noite completa de sono este ano, isto para os outros porque para o Carlos já não há mesmo noites completas, amanhã seguem o tempo da fornalha, a pior fase da vida destas pessoas e dos seus vizinhos, preocupa-me que a Elvira venha a ser acordada nas madrugadas também, não penso que ela tenha idade para isto, tampouco inscreveu-se para esta maldição, veio trazida à força de outro canto onde talvez estivesse muito bem, imersa em fraldas e gritos e traquinices de múltiplos pirralhos, vá lá, se calhar já estava a dar-lhes palmadas nos rabiosques em momentos de descontrolo, mas ainda assim havia de estar melhor lá.

Nem todos foram dormir, ficou aqui a tonta da Alice e o seu prognata Octávio a fazerem da minha sala uma alcova juvenil com os seus ensaios risíveis, suas patéticas incursões em arremedos de gestos sexuais que se destinam muito mais ao prestígio da ousadia do que ao prazer de se esfregarem.

A Alice levanta-se de súbito e começa a abrir o vestido, tem dificuldades com os botões,

— tem que treinar melhor, na hora vai ter de abrir depressa né diz o Octávio, referem-se na verdade aos assuntos do desfile do Musa do Sol, a ideia é que ela abra o vestido instantes antes da sua vez, ponha-se em destaque, roube a atenção que era para ser toda da rapariga que já avança sob aplausos na passarela. A Alice acaba de abrir o vestido em velocidade insuficiente e começa a caminhada pela sala, o fato de banho é um tanto gasto, o Octávio arranjou-o sabe-se lá onde, notam-se as costuras a desfazerem-se nas pontas dos laços,

— Anda mais devagar, Alicinha

mas tem cores bonitas, de dois em dois segundos ela olha-me e confere-se, aprova-se, ou não, fica desmoronada quando ouve Alicinha, é quase nunca, só quando estão mesmo alinhados nos ensaios ou nos trâmites de sofá. É a ele que vem primeiro o juízo e decide que é hora de dormirem, na quinta dele já estão com a estufa a mil e de madrugada é o turno dele, Alicinha, tchau, ela fica de biquíni sozinha na sala escura, mais sozinha ainda por estar diante de mim e eu sou muito experiente em causar embaraços e evidenciar solidões mortificantes, apenas a Elvira me olha e segue íntegra.

58.

Última madrugada do ano sem a fumaceira da fornalha chegando até as minhas folhas mais altas, último sossego sem a vigília incansável. De duas em duas horas devem acudir o fogo, alimentá-lo como a um bebê recém-nascido, com a diferença de que não vai chorar e alardear os seus desamparos, se eles esquecerem de ampará-lo vai minguar na surdina e comprometer todo o tabaco, aqui seguimos o tempo do fumo.

Carlos foi ver as cabras no meio da noite, mais uma das suas insônias, ou talvez a agonia com a temporada que começa amanhã. Ouvi a diversão delas, tão contentes com a visita, não há hora ruim para elas, todos temos muito a aprender com o humor das cabras. Muito melhor seria se fosse a elas que tivessem de mimar de duas em duas horas sem folga até o ano que vem. A ternura por uma cabra é incansável.

O problema é se o Carlos esquece a porteira mal fechada e elas escapam, porque os seres muito amáveis normalmente têm esse defeito, a espontaneidade. O próprio amor que transborda deles pode destruir tudo em volta sem que haja intenção. Não é possível que Madonna ao saltitar por cima das estacas de fumo tenha o desejo de devastação, há esse profundo ruído entre o amor dos homens e o dos bichos.

59.

Mal oiço o trotear caótico das cabras próximas e a Maria já aparece aflita, a camisa de dormir muito justa nas ancas a dificultar-lhe a corrida para salvar a plantação, a cabeça do pai que já não dá conta nem de fechar apropriadamente as cabras. Abre com fúria a porta da rua e fica estagnada, a luz da lua a alumiar-lhe o estarrecimento.

60.

Maria deve ter achado que vinha salvar a família da miséria trancando a tempo as cabras que o pai de novo teria deixado que escapassem. Agora recua constrangida, Carlos no chão abraçado com as duas mascotes bem ao pé de mim, rolando sobre minhas raízes. Aurora lambe o choro da cara dele, Madonna faz o que pode para provocar os risos de sempre, mas Carlos chora agora mais e mais alto, engasga, o peito sobe e arfa, o choro de um ano inteiro ou talvez de muitos anos, misturado aos berros das cabritas.

Deita de um lado e depois do outro abraçando um bicho de cada vez, se pudesse talvez soltasse também as galinhas e os porcos. E traria de volta o Dumbo que adorava pular a cerca do chiqueiro e brincar com os porcos, dava a barriga para os filhotes entocarem os focinhos gelados, bons tempos.

61.

A miúda encolhe-se à porta de casa, posso ouvir agora as cabras agitadas e um choro crescente de homem, a porta fecha-se devagar, a Maria não tinha nada que ter ido proteger a plantação, sofremos todos os castigos e intempéries e a garota a achar que a família depende de um pequeno heroísmo seu. E agora está ela aqui provavelmente a processar a informação de que é o pai a estrebuchar-se no chão com as cabras.

Uma filha desta idade ao ver um pai neste total abandono de si deve ficar esvaziada de futuros, porque o futuro pertence aos adultos, é desenhado e planeado pelos adultos, e aqui temos uma filha que se ocupa dos planos e do destino de toda essa gente, mas há sempre ali dois ou três mais velhos a garantirem que no fundo o que ela faz é brincadeira de miúdos, a ideia muito séria de tornar-se minivereadora lá na cidade de certeza que já ficou em águas de bacalhau, os cálculos que ela imagina fazer ao tentar adivinhar as dívidas e os valores que vai render o que resta da plantação não são cálculos verdadeiros, são somas abstratas que culminam no consolo de que não estamos tão atrapalhados assim, são coisas de uma miúda inquieta, mas agora com o pai revolto de terra e desespero a Maria deve estar a imaginar uma espécie insólita de futuro, que é sustentado pelos bracinhos dos filhos pequenos a embalarem os pais, não chores, pronto, pronto, já está.

62.

O acendimento da estufa é uma coisa sem volta, quando chega o dia nós já sabe que tá acabando o ano e a paz e agora é só lida e fogo lida e fogo e daqui uma ou duas semana me aboletam toda das farda da primeira apanha, né e vamo vencer os pontilhão tudo até chegar no galpão da firma, e o Carlos volta cheio de ódio que pagaro pouco e vai xingando os outros colono maldizendo os fumo deles, mas eu mesma, assim, Eu, Rural de Tal, chassis tal, placa tal e tal, tenho pra mim que quem atolou o buro que puxe a caroça, e que ninguém me ouça mas a verdade é que quem anda fora dos pagos não deve arotar valentia, é o que dizem.

Já dá pra ver daqui o laranja das chama da fornalha e o Carlos acocorado do lado medindo a temperatura e medindo de novo, e a Elvira de um lado pro outro no paiol com as guria pegando os cabo de madeira com as folha pendurada prontinha pra esturicar.

63.

Não tenho energia para isto que se inicia. Por mim tombávamos Carlos e eu na relva, as raízes desentranhadas e livres, e apreciaríamos o alívio que é enfim sucumbir.

Mas, que fique registrado, não tombamos, que aqui vivemos o tempo do tabaco e ele não deixa hora livre nem mesmo para desistirmos.

Cada vez é uma que vem até a fornalha alimentar ou amainar o fogo, de duas em duas horas, pontualmente, e de noite é Carlos que desperta de duas em duas para cuidar deste nosso bebê flamejante e caprichoso, qualquer descuido e sabota toda a amarelação. Alice, Maria e Pedrinho seguem lá longe na verga colhendo, só mesmo a cabeça de Alice desponta para além das folhas mais altas. O sol de hoje se brincar seca o tabaco no pé mesmo, estamos todos nessa imensa estufa, transpiro mofando de novo as paredes da casa com os galhos daquela ponta.

Deitam-se à minha sombra para receber o mate e os pães molhados de leite que Guerlinda deixa num paninho, logo vai acudir a

Elvira que se atrapalha com as primeiras medições da fornalha. Maria come os pãezinhos quase todos de uma vez,

— Maria! A comida não vai fugir né

e Alice simula a elegância de nobreza, a boca pequena e comedida como se não tivesse fome, musas não têm gula. É importante forjar alguma indiferença à comida, não sei se a natureza pratica alguma dessas artimanhas com os alimentos.

— Tu viu como ficou o Espantarlos depois da chuva?

— Não fala de boca cheia. Vi... Tá pior que o Carlos verdadeiro né.

— Tu ri não sei do quê, Alice... A mamãe tem razão, tu deve ser meio ruim.

— Capaz que a mãe fala isso!

— Falar não fala. Mas deve ser o que ela pensa.

64.

O Pedrinho e as quatro mulheres com o pescoço curvado sobre uma imensa tina em cima da mesa a sacudirem os grãos-de-bico na água até que subam as peles à superfície, segundo a Elvira o procedimento é para que não venha a flatulência, os putos riem do tema, acham irrelevantes os gases, seja porque as suas entranhas jovens digerem qualquer coisa, seja porque acham piada a isto de exteriorizar o que falhou por dentro, já os de mais idade têm horror à exposição da sua decrepitude, já não podem comer grãos sem que o corpo proteste com a sua podridão.

A Alice luta contra algumas cascas que não despegam, a avó ordena que deixe estar, depois de ficarem de molho amanhã cedo estes teimosos já soltaram,

— É que agora fica minha teimosia contra a deles daí

— Mas de um lado tem tu e do outro lado um grão-de-bico, né

Elvira retruca, e em seguida abre a bocarra na gargalhada breve, a cabeça a chicotear para trás, e então para de repente, Maria também se ri da irmã, de certeza que pensa que a Alice tem a maturidade e a inteligência emocional de um grão-de-bico.

No telemóvel da Alice toca o despertador para avisar que já se passaram duas horas e é o momento de alguém acudir a fornalha, depois começa o turno do Carlos. A Maria sai depressa, desajeitada, com a anca chega a baloiçar a televisão, bate com a porta, se calhar julga que o fogo é de facto um bebé em apuros.

— Essa guria não leva jeito, coitada. Se não segurar a comida vai ficar sozinha...

— Guerlinda! Olha as besteira que tu fala, ainda na frente da outra guria né

— Bah mãe, mas é assim que é né. Não sou eu que decido o que o povo acha bonito

— E agora a Alice aqui fica sabendo que a mãe acha ela mais bonita que a outra

— Ah e por acaso a senhora escondia isso de mim né, que achava minha irmã muito mais bonita... A vida toda isso, a senhora preocupada com a minha orelha pra fora, esse meu olho aqui ó, mais pra dentro, se eu ia casar

— Que olho? Sei de nada disso, não, filha, isso é coisa que guria enfia na cabeça porque quer brigar com a irmã. Com a irmã, com a mãe, com tudo daí...

— Uma filha a senhora mandava estudar, ficava lá babando no dever de casa né... A outra, a do olho pra dentro, essa é bom casar logo que... não sei não essa daí, a senhora dizia.

— Nunca disse nada disso, Guerlinda, já falei que isso é coisa da cabeça de guria. E de todo jeito vocês duas era diferente mesmo, se a mãe trata igual dois filho que são diferente, ela vai ser uma mãe ruim pra um deles... E isso não tem nada a ver com sair falando pra uma filha que a outra filha tá feia né.

A Alice olha-se em mim, com as mãos paradas dentro da água do grão-de-bico, a ventoinha a arrastar pelo ar umas cascas soltas, julguei que fosse sorrir, jubilosa, mas continua muito séria agora com as mãos a apalpar os grãos,

— Eu vou ganhar o Musa do Sol, vó. Trazer dinheiro pra casa daí

— Filha, como é que tu vai chegar em Candelária, me diz, a Rural tá velha que nem aguenta, e não tem ninguém pra guiar

— Eu já falei que vou com o Otávio. Ele vai levar eu e as gurias da coxilha lá debaixo

— Tu fica esperta, hein, nada de palhaçada né

— Que palhaçada?

— Se tu engravidar vai acabar com a vida da gente

— Por quê? Foi tão ruim assim engravidar de mim? Tu não queria né

— Alice! Nem tudo é sobre tu

— Na verdade nada é sobre mim. Nunca é daí.

— Minha Nossa Senhora essa guria...

— Pode ficar bem tranquila que eu não vou ser mãe, não quero ficar assim azeda que nem tu dando ordem, reinando o dia todo.

65.

Maria volta da estufa com as bochechinhas incandescentes, senta no meu balancinho em busca de uma brisa, a corrente enforcando meu galho. Gosto tanto disso.

Carlos alimentou a fornalha e agora deita na grama olhando a lua, ou talvez nem esteja vendo a lua. A testa preta das borras de cinza. Deve ter limpado o suor com a mão das lenhas. Nesta época do ano ficam todos sempre sujos de borralho.

De novo vem o Carlos cuidar do fogo, sai da casa tonteando do sono interrompido. O galo confuso chega a cantar de leve, mas logo entende que não é a hora. Ou pode até ser, aqui seguimos o tempo do fumo.

Mais uma vez sai da casa, a lua cheia alta dispensa a lamparina. Tenho a impressão de que desta vez ele arrefece o fogo, não pode subir demais a temperatura, o tempo do fumo é lento. Antes de contrair essa tristeza toda, Carlos fazia graça, dizia que a fornalha estava com febre, a Maria pequena com caras de preocupação, brincavam de cuidar da febre do fogo.

Duas horas mais e volta o Carlos insatisfeito com a vida, o calção salpicado de folha e grama, a camiseta puída de dormir vai toda emborralhada. Ouço a lenha rolando uma sobre a outra, e o vento do assoprador. Mede a febre, põe mais lenha. As folhas enforcadas na estufa.

Ainda não veio nenhum raio de sol e volta o Carlos, o galo se confunde de novo, os porcos se mexem, a natureza é apegada às rotinas e esta das lenhas é difícil de assimilar, os bichos demoram uns dias para aceitar o desatino.

A bola do sol já espia por detrás das vergas mais altas, Carlos nem vê a hora mais bonita, atravessa direto ao seu posto de trabalho. Agora o galo canta com menos dúvidas. O alvorecer ilumina as roupas desbotadas do imenso varal. Tudo fica sob uma lente de novas cores. Quando Carlos termina de cuidar da fornalha, dá as costas às nuvens rasgadas de raios alaranjados, talvez tenha raiva dessa beleza desarrazoada.

Agora é Maria que vem cuidar do fogo, Guerlinda deve estar terminando de ajeitar alguma comida para começarem o dia, Alice e a avó já avançam pela lavoura com a carriola.

E então é Guerlinda quem vai ao fogo. Pedrinho descansa à sombra no meu balanço, está nos últimos anos de repouso, não sabe disso. Ou talvez saiba, por isso esse olhar assim.

Alice e Maria vão juntas vigiar a fornalha, Elvira abana-se incrédula. Não é possível que os dias agora sejam assim. Mais calor em cima do calor, mais controle no que já era tão meticuloso.

Elvira vai checar a temperatura, mas ainda não aprendeu, vai até os porcos, chama Guerlinda. Discutem de leve, não há energia para brigas. Elvira vai lá pra dentro com o Pedrinho, de certo vai banhá-lo, que é uma tarefa mais amigável.

Para eles são tempos interrompidos, uma espécie inflamada de maternidade. Para mim, é o início de uma temporada melancólica, pouco me visitam, já não soltam as cabras, não têm tempo para lanches mais longos, talvez não tenham lanches. Se fosse o caso eu poderia hibernar e acordar daqui a um mês e as coisas ainda continuariam assim, só o paiol mais cheio de fardos, a família exausta, e tudo igual ao dia de hoje. Este próximo mês da minha vida não fará a menor diferença, verei as mesmas coisas.

Eles sabem tanto de amor, e agora só cabe a devoção à fornalha. E a vida deles não faz a menor diferença para o fogo.

66.

A Maria entra em casa a arrastar o imenso espantalho, todo coçado e desmembrado, ajeita-o no chão à minha frente e fica a parecer um velório, o chapéu do Carlos ainda continua preso à falsa cabeça por duas agulhas de tricô, mas os cabelos de palha ficaram ralos, as roupas, trapos velhos também do Carlos, desbotaram com o sol e enlamearam na chuva, um dos braços, que era um cabo de enxada, já não existe.

O Carlos passa em silêncio, caminha ao largo do seu totem caído, indiferente, e sai para o infeliz turno da fornalha. A Guerlinda vem lá de dentro e solta um grito, a ninguém é recomendável a rápida visão de um corpo estendido no chão,

— O que isso tá fazendo aqui, Maria, minha Nossa Senhora

— Precisa arrumar, já tinha pássaro até usando o braço de poleiro né, não tava assustando ninguém daí

— Capaz! Que susto... Chama a tua irmã pra comer

— Tá no Otávio...

A Elvira entra com um monte enorme de capim, se calhar vai costurar por dentro das roupas do espantalho, deixá-lo mais recheado, com um tórax humano. Os pássaros vão julgar que se trata do Carlos reavivado, o de antigamente, forte, imponente, inabalável no meio da plantação, não este arremedo de lavrador com os ânimos inteiramente corroídos pelos venenos, todos os venenos constantes dos longos contratos que só mesmo eu pude ler, se tanto. Agora o espantalho não será mais um agricultor inofensivo, as paixões aniquiladas de sulfrentazone piroxasulfona imidacloprido triflumurom tiametoxam e dívidas.

Deixam o corpo à minha frente e servem-se diretamente do tacho ao lume, o Pedrinho deixa cair o copo de sumo feito com as mandarinas que tinham quase apodrecido no chão que a avó seca depressa antes que a Guerlinda pudesse dar conta.

A Maria começa a trazer os seus assuntos indigestos, que a Alice disse que o Octávio disse que na última coxilha lá debaixo na outra linha o lavrador tentou matar-se,

— Outro? Não vai sobrar um daí...

— Salvaram a tempo, agora vai ficar tomando remédio... O orientador da firma até levou flor.

A Maria fica a arrastar a refeição com o garfo, o que não é do seu feitio, de modo que deve estar a engolir assuntos,

— Ô mãe, o pai devia ir pegar uns remédios pra ele né, passar no médico...

— Essa gente tem os problemas deles, Maria, teu pai só anda chateado, mas ele sabe o que faz. Tu que não devia ficar ouvindo essas história.

— Tem gente falando em fazer alguma coisa, não sei. Segurar o fumo no paiol...

— Isso, deixa teu pai te ouvir, ai de tu e da tua irmã se botar alguma coisa na internet, Maria, depois cortam a gente e

— Eu sei né! Mas se todo mundo segurasse...

Com o seu especial termómetro para as explosões de Guerlinda, a Elvira toma o rumo dos assuntos, sem parar de ajudar o neto a comer.

— Vamo lá, quanto é que a gente tá devendo?

— Não é assim, mãe, é parcela, é a terra, é tudo, o defensivo, a estufa que eles construiu, vai abatendo né... todo ano a gente vende pra eles e fica com o pago do ano daí, o Carlos tem as conta, tá tudo bem... Tu não conhece a tua netinha? Ela acha que vai salvar o mundo, até médica agora ela acha que é né Maria.

— Mas que o homem tá esgualepado, tá, Guerlinda. Se é do veneno ou não, nem me interessa, mas se o postinho dá remédio...

— É... eles envenenam de um lado daí vão lá e envenenam do outro. Por mim, tanto faz. Se a senhora for com ele na cidade, fica à vontade né, ninguém tá segurando. Quero ver conseguir daí.

O Carlos entra todo chamuscado e come com as mãos tal qual vieram lá de fora, mas ninguém protesta, que este homem a comer é um feito estupendo, a Maria estica a mãozinha e ensaia uma festinha na mão esquerda do pai, que se assusta com o toque humano, não é uma folha e nem é o fogo, é a mão da filha, se calhar aos poucos o espantalho e ele foram-se moldando juntos na mesma entalhadura.

67.

Esta noite está boa, ao menos tem brisa, minhas folhas refrescam, a plantação ondula devagar para a direita. A lua já foi diminuindo, mas ainda parece uma lanterna no caminho do Carlos em todas as cinco ou seis vezes em que vai se levantar e caminhar até a fornalha.

Querido diário, Carlos acorda e caminha etc.

Um grilo mastiga minha raiz, estridulando bem alto na madrugada.

Carlos volta à fornalha etc. etc.

Ajusta mais uma vez o fogo e agora já parte para a colheita, é preciso apanhar tudo que der antes de o sol combatê-los. Até mesmo Alice vem juntar-se a ele sob a lua e os vagalumes, as estrelas cadentes dos insetos. Quando as formigas veem o sobe e desce das luzinhas, devem fazer um pedido, que alguém derrame geleia de pêssego na mesa e no chão.

Carlos volta a lidar com o fogo e retorna à plantação etc.

Etc.

Etc.

Etc. etc.

Vão passar tantas noites e dias assim, chamam-se uns aos outros para acudir os bichos ou o fogo, cerzir o fumo pronto, colher o que resta, botar ou tirar a roupa dos varais, cuidar de novo do fogo, enfardar o fumo, chamam aquele que está lá para dentro da casa, ou o que está queimando lixo, chamam o que está ali para junto das galinhas. Fica a ciranda dos nomes de sempre. Isso faz o meu tempo, que já é tão lento, parecer infinito.

Vejo os revoltantemente belos raios de sol da manhã e Carlos entra na casa.

Etc.

68.

Mal a sala se roseou toda dos raios da aurora, já a Maria sai para a cena da fornalha e da estufa. Aproveita e leva consigo a roupa para lavar. Nesta altura do ano lavam roupa muito mais vezes, uma parte é suor e outra é borralho.

A Alice já foi para a lavoura bem cedo, no verão a colheita é certamente mais viável antes de amanhecer, já não podem estender o serão até as telenovelas da noite.

A Elvira acorda amarrotada e majestosa, nem tira a roupa de dormir antes de começar a ajeitar o pequeno-almoço. A Guerlinda ajeita o tereré e deita água fresca no termo para levarem com elas para os trabalhos do dia. Com um sorriso pueril, pousa ao lado da mãe um cigarro longo e escuro, feito com certeza das folhas que não prestavam para a venda, mas ainda assim vistoso, a Elvira olha de lado e duvida, pensa que é algum chiste de mau gosto. Cheira-o, e põe-se então a louvar a filha, a sala ainda sombria, mas nenhuma das duas atreve-se a acender a lâmpada e arruinar as cores que vêm da janela.

— Ô Guerlinda, bem que a gente podia matar um porquinho, né, não podia, não?

— Não dá, não, mãe. Fim de ano se eu matar te dou no máximo uns pezinho, o resto preciso vender tudo na cidade. Deixa os bichinho lá, vamo ver se eles se enrosca e dá mais criação ano que vem daí...

A Elvira acende o cigarro aqui mesmo,

— E é verdade aquilo, Guerlinda? Que tu disse outro dia...

— Os negócios de dívida?

— Não... que eu achava a tua irmã mais bonita né

— Ué, mãe, a senhora que sabe né. E batia muito mais em mim que nela

— E eu sei que não achava coisa nenhuma de mais bonita

— Bobagem tudo isso...

— Não é bobagem, não. A mãe, se preferir um filho, tem que preferir em segredo. Tu que não erre mais isso.

— Ah e a senhora acha que eu prefiro a Alice só porque ela é bonitona? Eu hein. Tem hora que essa guria me odeia...

— Odeia nada, tu parece que fica adolescente junto com ela daí. Teve de trazer a mãe lá das grotas pra cuidar dos cinco aqui.

A Elvira trinca um pêssego que fica a pender-lhe da boca já que as mãos estão ocupadas, a esquerda com o cigarro e a bolacha, e a direita com a faca a passar a margarina,

— É, mãe... A senhora não devia nunca ter saído daqui

e a Guerlinda recolhe da mãe o que sobrou do pêssego e mete na boca mesmo a falar, rompe a sua própria esmerada etiqueta sobre a boca cheia, se calhar com ganas de ser um pouco criança,

— Me dava um baita aperto querer deitar no teu colo e não tinha né... Eu percebi que eu era só mãe daí. Tinha de ser mãe o tempo todo, não tinha mais o tempo de filha.

69.

Carlos emendou as atenções à fornalha com a vinda à lavoura para começar a terceira apanha, antes mesmo que os raios bonitos do sol viessem caçoar do seu desmantelamento. Daqui vejo há dias as mulheres no paiol apressadas na classificação das folhas. Depois que separam uma pilha boa, da mesma qualidade, o braço traça no ar um círculo rápido, e pronto, está feita a manoca, as folhas juntinhas atadas também por uma folha: um buquê de fumo.

Alice põe o celular de pé sobre a tecedeira do fumo, deixa filmando uma hora. Depois deve acelerar tudo e publicar a família na lida. Os gestos redondos todos juntos em velocidade vão lembrar um filme antigo, mas com uma música de fundo bem atual. Depois ela fica revendo mil vezes, recostada em mim ou no meu balanço.

As manocas já se acumulam nos fundos do paiol. Pedrinho vai colocando bem devagar nas caixas para a prensa. Caminha com um buquê de cada vez, tão devagar que parece um vídeo da Alice colocado na câmera lenta em vez de apressado.

Guerlinda alimenta a fornalha, que parte da terceira apanha já está enforcada ali. Enxuga o suor com o antebraço e espalha o borralho todo pela testa. Achei que iam dar risada dela, mas seguimos no silêncio.

70.

O peso na minha caçamba só falta me dobrar no chão mas agora sim eu sou uma Rural com cara de uma Rural, toda apinhada de fardo de fumo e o Carlos me guiando desanimado e a Elvira do lado por dois motivo um que é pra ver se uma idosa na lida mexe com o coração do avaliador e outro motivo é pra fazer o Carlos passar no médico pra falar que não consegue mais ter força de vida, ela diz assim força de vida e daí ele vai começar a medicação que nem outros colono das lavoura de tabaco e é bom também um doutor olhar essa mancha aqui no pescoço porque já tem dois na linha com câncer de pele e tem a coisa do sol e também vai saber se não é do veneno, é hora de resolver e melhorar tudo, pra isso trouxero mais uma mãe porque uma mãe só não tava bastando né.

A gente derapa um pouco em algumas curva que ainda tão empoçada e dá medo de afogar no bareado dos pontilhão mas vou chegando inteira, o fumo bacaninha lá atrás, as olheira do Carlos bem escura encolhendo contra o sol, a Elvira protegendo as costa querendo saber por que diabo a empresa não vem buscar o fumo na coxilha, mas é que eles vão mais nas lavoura perto delas, aqui nessas banda a gente fica mesmo lascado.

71.

A Alice e a Maria vêm aqui apanhar alguma coisa para comer que hoje almoço mesmo ninguém parou para fazer, se calhar não há comida suficiente. A Alice parte os ovos para a frigideira e fica a lutar com a lenha para acender o lume. A Maria alonga-se a olhar para mim, evento raro, tanto o alongamento como a espreitadela no espelho, puxa o pescoço para um lado depois para outro, toda moída de se baixar e concentrar tanto nos assuntos do tabaco.

A Alice deixa os ovos a fritar e vem até aqui posar atrás da irmã, os olhos nos próprios olhos em mim, estão felizes, as duas, como é possível essa felicidade tão simples, tudo em volta a combatê-la, a Maria revirada de enjoos, o pai mais gasto que o espantalho ainda largado no canto da sala ao lado da televisão como se fosse um bêbado que tivesse caído no chão antes de chegar à cama, a Alice mal amada por um arremedo de gajo qualquer, a família encravelhada de dívidas, e ainda assim as duas entusiasmadas com a juventude que ainda têm, se um espelho precisar de resumir o que procuram os humanos quando o fitam haverá de dizer que é sempre a juventude, quanto menos a têm mais é ela que tentam encontrar e já não veem, no entanto estas duas ainda têm de sobra e se calhar é por isso que não se desmantelam de repente sob o peso que levam nos ombros, não, ao contrário, agora a Alice massaja o ombro doído da irmã, aproveita que não anda nenhum adulto à espreita que possa ficar contente com a visão desse gesto, por isso entrega o que encontra de afeto em si, e vai ao lume terminar os ovos.

72.

Esperei um tempão e só agora os dois volta e o Carlos já começa a me guiar, nem espera a Elvira botar o cinto, mas ele diz que nem tá tão bolado assim com o valor das folha porque era tudo baixeiro e não ia mesmo ser muito alto daí, e de toda forma é o que dizem, se grito resolvesse porco não moria. A segunda apanha tá lindona e vai vender muito bem, a Elvira insiste na coisa dos remédio e ele vai obedecendo na direção que ela não tem muito como saber se tá certa mas ele não é de truques, é o que fala o povo, o buro se encilha à vontade do dono.

73.

Esses dias o sol anda ardendo tanto nas minhas folhas que chego a sentir que estou também na fornalha esturricando com o tabaco. No fim das contas depois de tantos cuidados o fumo quase consegue atingir aquilo que é próprio dos bichos e dos humanos, a maciez. A família acaricia a folha que vai servir para o laço da manoca e a sensação é de que se trata também de uma espécie de pele.

Carlos já levou as primeiras vendas, está derretido entre os camalhões colhendo com a esposa, poderia ser uma cena da novela que às vezes escuto pela janela abertíssima para alguma brisa que não vem. Na cena uma música romântica elevaria o casal entre as folhas, o rosto sombreado do chapéu, cruzariam o olhar e sorririam ao lembrar que se amam. Há alguns dias, talvez seja uma semana, Carlos voltou da cidade com remédio para a sua devastação interna, a esperança é termos de volta metade do homem que tínhamos. Segundo Elvira, o médico disse que o efeito demora, e é pra ficar de olho no homem.

Com Pedrinho sentado ao lado no chão, entretido pela cabrita, Elvira segue costurando as folhas para a secagem, talvez tenha envelhecido dois anos nesses últimos meses. Cada vez mais uma anciã nos fundos de um castelo tecendo seja lá o que ordenara a nobreza com seus planos diabólicos de reinado e pompas.

Alice e Maria saem da casa carregando com dificuldade o enorme espantalho, revigorado e imponente, como de certo esperam que fique o pai. Levam-no uma pelos pés a outra pela cabeça, numa impressão de conduzirem cerimoniosas um corpo sobre uma tábua de madeira. O chapéu não pode tombar e vai amparado por uma das mãos de Alice, a camisa xadrez preenchida de palha, capim, trapos, lascas, talvez uma porção das minhas favas que elas vieram apanhar num fim de tarde desses.

A cabeça é de estopa da trouxa do tabaco, pintada de caneta decerto pela Maria, a expressão grave lembra a cara sisuda do pai. Um espantalho infeliz há de espantar muito mais.

Nas pontas horizontais da cruz prenderam duas luvas cheias, ameaçadoras mãos erguidas contra os pássaros. Só as botas é que não puseram, não deve haver calçados sobrando na casa. Fincam-no entre os milhos e as mandiocas, e a impressão é de um homem crucificado. Tiram fotos abraçadas com ele, riem. É também uma cena da minha novela.

Alice vai alimentar a fornalha. Logo mais vai ser preciso limpar a cinza dos canos.

Maria vai juntar-se aos pais na colheita.

De vez em quando — é muito raro —, fico olhando tudo aqui de cima, e chego a pensar que estou melhor assim, não compensa ser gente.

74.

Aproxima-se o Natal. O habitual era que estofassem o Carlos de almofadas e lhe metessem uma barba branca e uma roupa vermelha para fazer de conta que era o Pai Natal para o Pedro, o Pedrinho fica sem saber quem é o Pai Natal porque a família já não tem tempo ou vontade para estes devaneios. Um espelho por mais coisas sensacionais que saiba não pode saber o que fazem os médicos para perceber se a tristeza das pessoas já é patológica, não sei o que perguntaram ao Carlos no tal do posto de saúde antes de lhe passarem os comprimidos que ele toma sistematicamente todas as manhãs ao pé do louceiro, mas se fosse eu o doutor, é seguro que eu perguntaria

— Há miúdos na casa?

— Pois sim, doutor

— E creem em Pai Natal?

— Pois... nunca chegamos a mencionar, o tempo anda escasso, o miúdo entende, mas mal fala, não compensa o transtorno

— Passou da conta, estás deprimido. Pronto, apanha tua receita e sejas pontual na medicação. Próximo!

Se calhar ao menos a avó vai arranjar qualquer coisa para divertir o Pedro no Natal, que a Elvira nunca conheceu a falta de ânimo, esta mulher é puro vigor, é a única que me olha sem desconfiança nenhuma de si.

Aqui só recebo olhares ariscos e imprecisos, há a Maria que quase não me olha porque não chegou ainda à idade disso, ou porque detesta o que vê, a Guerlinda que só vem ter comigo quando quer maquilhar-se, pinta-se tão depressa que chego a pensar que funciono a pilhas e a minha imagem está prestes a apagar-se, olha-me fugidia à procura da rapariga que já não pode ser, e há o Carlos que quando me olha é sem querer e é sempre um susto, não chega a achar que se viu, pode acontecer também de desprenderem-lhe umas quantas lágrimas que ele não sabe de onde é que vêm, e há o Pedrinho que olha-me sempre com aquela maneira de olhar na verdade muito além, um reflexo que não é nem ele nem a família, olha-me como a uma janela que ele não compreende, e há por fim a Alice que me olha o máximo de vezes que consegue e ainda assim não se convence de que existe de facto, de forma consistente, não fica segura de que a sua beleza é a mesma de ontem e igual à de amanhã, precisa verificar a cada instante se não se deformou nas últimas horas, se tudo o que é já basta, e, na ânsia de me encantar, exaure-me, já não sei se sou capaz de mostrar-lhe o que há para mostrar quando me examina.

Só tenho mesmo a Elvira para olhar-me inteiriça, ajeita sem afetações o que houver para ajeitar nos cabelos ou na roupa, aproxima-se para ver manchas que por uns instantes não sei se são do meu vidro ou se do rosto dela, e então surpreendo-me com um toque dedicado seguido de uma esfregadela que depressa me remove algum cuspo colado vindo das investidas da Alice. Olha-me sem duvidar de nada nem perder os olhos num objeto qualquer refletido ao fundo, olha-me o quanto precisa e deixa-me aqui para viver o resto do meu dia, eu sim agora fragmentado, desprovido de um espectro capaz de dar conta de tanta luz.

75.

Pelo que pode compreender uma árvore, julgo que hoje é véspera de Natal, mas não há nenhum milagre.

Guerlinda está na lavoura, Elvira e Pedro no paiol cerzindo as folhas. Carlos está na fornalha, há um mês que à noite não dorme além de ciclos de uma ou duas horas. Domesticar o fogo talvez demande mais que amamentar um bebê recém-nascido.

***

Maria e Alice trazem a velha caixa com as luzinhas de Natal, mas não há pilhas, então não podem nem testar se estão funcionando antes de se arriscar pelos meus galhos maiores. Alice sobe descalça até o mais alto, Maria vem dando a volta no meu tronco com o fio, é uma espécie de carinho.

Todos querem que eu faça parte desta época deles, sou uma velha que não vai à festa, mas que a família enfeita mesmo assim. Uma senhora no segundo andar de um sobrado. Uma senhora que não consegue descer as escadas, não verá as visitas, talvez já não haja visitas, ainda assim adornam a velha em silêncio lá em cima.

Carlos alimentou o fogo e agora foi apanhar milhos para o Natal. Fica muito tempo parado diante do espantalho.

Penso que caiu, mas na verdade se ajoelhou diante do boneco. Ficam os dois frente a frente com os braços erguidos em cruz, não sei se é um delírio natalino ou apenas um ímpeto de salvar-se. Se eu pudesse estendia também os meus troncos nessa reza pagã, implorávamos juntos que qualquer poder nos salvasse, mesmo que seja um deus estofado de capim.

76.

O Octávio veio trazer pilhas para a Alice meter numas luzinhas na árvore lá fora, cá dentro não temos luzinhas nenhumas e mesmo a ceia se houver é na sala, não é no meio da plantação. A Guerlinda argumenta baixinho com o Carlos o direito de matarem ao menos um frango para a ocasião, a Maria saiu com o Pedro para a colheita, a Elvira pede à Alice o telemóvel e vai a andar até ao portão para poder falar um pouco com os outros netinhos e com a outra filha, nota-se o quanto está saudosa.

A Alice colheu flores de macela e deixa-as na mesa num copo com água sobre o naperon, quer que façam pelo menos um doce, alguma coisa com os pêssegos, a Guerlinda manda-a ir então apanhar a fruta, mas desta vez ordena com ternura, como a acolher o desejo da filha porque é Natal, vai inventar uma sobremesa qualquer rápida no meio da exaustão, porque a cada dia que passa a Guerlinda arrasta-se mais, vergada sobre o seu antigo ânimo, se for se pintar para a ceia há de olhar-me quase a pedir desculpas.

Esta tarde é como qualquer outra de dezembro, o céu convertido no inferno nesta quentura indizível, o fumo da fornalha a escurecer o dia no quadrado da janela, as pessoas a esbarrarem-se nos seus afazeres apenas simulam estarem mais benfazejas, ou simulam ou enganam-se que estejam elevadas por uma breve aura benigna.

A Alice sugere até que a mãe vá até à avó participar no telefonema, uma forma de quebrar o gelo depois de tantos anos, e ainda mete alguma inveja por ser ela a filha a passar com a mãe este Natal, sobre a inveja não falam, porque hoje estão benévolas, e a Guerlinda nem sequer refuta a ideia por ser disparatada, se calhar é mesmo uma boa forma de diluir a timidez que se formou entre ela e a irmã como uma cortina leitosa do tempo através da qual se podem adivinhar as sombras a viverem as suas vidas, mas não é fácil tocá-las, falta uma ousadia, um arrebatamento na intimidade do que ficou para além da cortina.

Depois a Guerlinda sai, se calhar vai à estufa do tabaco, ou vai mesmo tomar parte subtilmente na ligação telefónica da Elvira com a outra filha.

77.

Ontem tentaram ligar as luzinhas postas em mim, mas ou a pilha que arranjaram não estava boa, ou são as luzes que já não piscam. Ficamos dependendo dos vaga-lumes. A noite de Natal foi igual às outras noites, mas vieram trazer um prato para o Carlos entocado no paiol sem parar de nutrir o fogo e enfardar folhas, exausto. De vez em quando vinha uma e depois outra acompanhá-lo, arrumadinhas para a foto de Natal, perguntavam se não podiam mesmo parar só uma noite, voltavam vencidas e acinzentadas do fogo.

Iam matar um frango, mas no fim se fartaram de ovos, decerto Guerlinda preparou alguma coisa grandiosa com os ovos, e também usou os restantes para um doce, não tenho dúvidas. Agora de dia empilham-se na Rural para a missa de Natal. Fica aqui só mesmo o Carlos para cuidar do fogo, e das folhas e tudo o mais. Maria ofereceu pra ficar no lugar do pai, disse que ele precisa mais de Deus do que ela, mas ele nem respondeu.

Fico pensando se eu me canso, se uma árvore se cansa. Não sei se é possível me cansar da forma como estão cansados estes humanos. Quando me falta água é árduo o meu trabalho, quando me mordem as folhas, quando a ventania e a chuva tentam me derrubar — porque é isso também a natureza, harmônica e contínua aniquilação —, tudo isso me cansa, é claro.

Mas é capaz que se a vida me exigisse esse esforço, e diante de cada esforço me ameaçasse com a insuficiência dele, eu desistiria. Pouco a pouco, cada camada minha secaria, devagar, abandonando a força dos dutos, deixando de espiar tão alto o céu. Eu me descabelaria, despegando a folhagem sobre o telhado, entupindo as calhas. Desistiria dos meus galhos, quebradiços e minguados. Não lutaria contra nenhum fungo que viesse se aproveitar do meu desapego, besouros famintos nas minhas folhas.

Ainda por cima sozinha desse jeito, sem uma rede de árvores que ampare a minha curvatura exausta. Esquecidos aqui no fim da linha do fim da coxilha no fim do país, como é que continuam, e ainda rezam. Se eu falasse tanto com um deus que não me responde, desistiria dele também.

78.

A Guerlinda não aprendeu a guiar, é a Alice que se pendura magrela na minha direção e faz igual aprendeu com o vizinho e também com o pai, quando ela era ainda mais nova o pedal pesado no pé as sandália solta no chão né. Mas só pode quando a estrada tá seca assim e a distância não é muita, senão não pode e era capaz até que ela atolava daí.

A porta da igreja tá muito animada cheia de gente e tem até coral de criança na escada. A Alice volta corendo pra pegar o chimarão que deixou aqui no banco e a Guerlinda acha que não fica bonito tomar na missa, mas também ela não sabe se fica ou se não fica bonito então elas levam pra dentro da igreja daí.

E a praça suando de sol quente, minha lataria queimando, o sino bem forte nas cabeça pra lembrar que é Natal e o dia é bonito e nós somo tudo feliz.

79.

Há uns minutos que oiço o despertador do Carlos a insistir no quarto, seria a segunda visita à fornalha nesta madrugada, mas nem reparei se ele voltou da primeira, tenho cá p'ra mim que ficou mesmo lá fora e não voltou no seu palmilhar típico dos pés soltos nas sandálias gastas, a porta que noutra época ele fechava cheio de cuidado para não acordar a família e agora nem isso faz, deixa que se feche depois com o vento, e a porta está agora fechada enquanto soa o despertador.

A Maria confusa entra e sai logo depois do quarto dos pais, despertador na mão, desliga o barulho e corre para fora da casa, com certeza à procura do pai que não está na cama e por isso tampouco terá ido ver da fornalha da estufa e cuidar da vida das folhas, que é a vida de que mais cuidamos aqui.

80.

Maria vem diligente e convicta verificar o fogo e também o pai, o despertador apertado nos dedinhos tensos. Vejo que Carlos há quase duas horas ronca caído no alpendre, o barulho é impressionante, o retumbar de cartilagens e cordas humanas frouxas de exaustão. Diante do som inconfundível, Maria cuida primeiro do fogo, alimenta-o com as toras mais leves que encontra na pouca luz. Ajusta o alarme para daqui duas horas. Não fica satisfeita com as lenhas e tenta acordar o pai, mas este não é um sono simples.

Carlos espanta a mão da filha e vira para o lado. Maria encaixa sob a cabeça tombada um punhado de trouxas vazias da colheita. Não está segura a respeito do fogo, coloca mais madeira, assusta-se com a chispa que ilumina a fornalha, os olhinhos abrasados e encolhidos de ardor e sono.

Não sei se por receio de haver alimentado demais a chama e o calor da estufa, ou por uma dor simples de deixar o pai caído no chão do paiol, deita-se ao lado dele. Esforça-se num abraço que ele não percebe, mas aceita. Vão dormir até o próximo alarme do despertador.

81.

Faz muito tempo que ninguém vem me vestir porque neste calor ninguém me aguenta e teve a vez até que a Maria desmaiou. Mas também ficar catando folha nem é a parte mais legal, a parte do remédio é muito melhor, fica uma chuva bonita meio escura e o sol às vezes bate de lado nessa água que mesmo não sendo muito bem água faz arco-íris. Tem épocas que essa é a única chuva mesmo que a gente vê, com a seca que tá lá fora era bom virem regar até as roupas, mas ninguém vem não.

Eu não gosto do fim do ano porque fica um pessoal de vez em quando soltando fogos mas é bem pouco porque ninguém quer assustar os bichos e aqui todo mundo tem bicho, mas eu também não gosto porque ninguém vem pegar a roupa de segurança, a gente chega a ficar meio dura, o plástico parado aqui vai secando de calor, não fica legal mesmo, nem um pouco. Eu fico muito sozinha, olha elas lá abaixadas pegando folha, o Pedrinho mais atrás bem pequeno com um chapéu, um dia o Pedrinho que vai me vestir, e ele vai ser forte e vai aguentar o calor, e a gente vai jogar junto os melhores remédios e ele nem vai reclamar de mim porque ele é um menino bom, quando ele aprender a falar se ele aprender a falar ele vai dizer Eu amo essa roupa de segurança, ela é a melhor, com certeza a melhor que tem.

82.

A passagem de um ano pro outro é bonita se sentirmos que estamos mesmo passando de um ano para o outro. Agregam-se combalidos sob a lamparina que penduraram no meu galho, comem com as mãos os sanduíches festivos da Guerlinda. Pedrinho come no balanço, ciente de que ele é o único que talvez se transforme ao longo do ano que vem, nos outros não vejo ânimos de renovação, menos ainda em mim.

Há estouros esparsos de foguetes pela região. Otávio ficou só um pouco e já foi para a família, talvez tenha notado o número de sanduíches, não estamos exatamente premiados pela fartura.

— Mim dá mais um sandíche!

Olham todos juntos depressa para o Pedro, pode ser que a impressão de uma frase seja uma confusão com o barulho dos fogos e dos bichos assustados, uma alucinação de réveillon por quererem tanto celebrar a chegada de mais um ano,

— Mim dá mais um, mamãe

mas fica logo evidente o milagre de Natal chegando atrasado, talvez porque o resto da família já não tenha tempo de falar tanto. Não há mais nenhum lanche na bandeja e Guerlinda pega o próprio sanduíche e leva correndo ao balanço, dá na mão do filho e não se aguenta, toma-o no colo aos prantos, beija as bochechas macias — como deve ser macia uma bochecha — esfrega o rosto no rosto minúsculo do Pedro. Elvira levanta-se e junta-se a eles emocionada também, Alice abafa constrangida a sua própria comoção, Maria termina de engolir e começa a cantar e a rodar tentando engajar o pai, ela está exultante de alegria, esperou tanto por este momento.

Carlos chega junto do filho, beija o cabelo fino e lavadinho de sabão de coco. Não sei se Pedro entende o que ele trouxe a esta noite, o que a sua súbita voz até agora tão contida, monossilábica, ou se poderia dizer atrasada, veio jorrar sobre as expectativas para o ano que vem.

Há uma mudança, é pouca, talvez seja a única, talvez demore muito até que venha a próxima frase da criança. Mas agora temos alguma coisa por que esperar.

83.

— Vou buscar primeiro a guria lá... que eu te falei, da outra cidade ali, mais fora de mão. Daí o pai dela vai me dar gasolina, volto e busco tu, bem cedinho. No caminho até Candelária pegamo as outras duas né

— Mas por que tu não me pega primeiro, a gente busca ela junto daí

— Porque é cedo e tu tem de dormir direito senão fica horrorosa e perde o concurso

A Alice atira a almofada à cara do Octávio em afetações de bravuras charmosas, ele ri-se solto, a exibir a sua infeliz arcada dentária.

— Mãe, eu preciso de um traje de festa, pro jantar e pro baile das candidatas, que tem no sábado

A Guerlinda dobra os lençóis endurecidos do sol, o braço é insuficiente na dobra do pano que é longo para a altura dela e a ponta toca no chão, não diz nada e por isso vem a Elvira acudir a neta,

— O vestido que tua mãe usou no teu batizado tá que nem novo ainda, que eu vi. Deve servir

A Alice lança para a mãe o seu melhor olhar, o fazer olhinhos que procura conter o brilho da melhor das filhas, mas eu sei que para a Guerlinda esse olhar é diabólico, como se fosse possível a uma rapariga desta idade calcular somente a formação de um afeto sem senti-lo em parte alguma. A Guerlinda se calhar não sabe que se uma adolescente se aplica todos os dias na tarefa de fingir que não ama é inevitável que ame de facto, já assim dizia o grande poeta, falava de dores apenas, mas se fosse um espelho fitado dia e noite por Alice o poeta teria escrito melhor, teria escrito como um espelho, diria que a adolescente finge tão completamente que chega a fingir que é amor o amor que deveras sente.

— Capaz. Vai sobrar em cima, aqui no peito. Vai lá ver, Alice, se te serve, daí tua vó arruma dos lados né. Mas vai ligeiro com isso que já tá quase na tua hora de ver o fogo — e o resto dos seus dizeres sai baixinho e cortado pelo sobe e desce dos lençóis, Alice já entocada lá para dentro nas gavetas da mãe —, depois só fica aí sentada proseando com visita, única pessoa que tem tempo de visita nessa casa.

À Guerlinda não ensinaram como adolescer, saltou depressa de menina para mãe, e a essa mãe portanto não ensinaram como amar uma adolescente, se calhar é assim mesmo que se faz, um amor adversário.

A Maria chega lá de fora ensolarada da colheita, traz o Pedro pela mão, mesmo que ele não precise, não há nenhuma necessidade de lhe segurar a mão porque ele sozinho segue a irmã, mais obediente que a própria sombra dela. Deita-se exausta no sofá, abraça o irmão num colo forçado que ele aceita de imediato.

Desde que o bebé entrou por esta porta acolhido nos braços dos pais a Maria parece que ganhou umas décadas de sabedoria, decidiu que era o seu bebé, já não era ela a mais pequena e não seria má para o irmão como a Alice era para ela. O dia todo a embalar a criança que era a coisa mais abençoada que já vira, a ensaiar a forma de ampará-lo no momento em que o padre lhe molharia a testa e o cabelo, erguia o bebé na minha direção devagar, eu a batizá-lo.

— Pedro, fala de novo. Fala comigo. Vai, vou contar até três e tu fala uma coisona bem grande

O silêncio do cachopo sempre a roê-la, de certeza que tinham sido os pesticidas da lavoura, ou a demora do parto precoce, mas se calhar foi daquele outro dia, como é que se pode ter a certeza. Eu que a conheço em diversos ângulos sei que não conta nem a si mesma essa aflição, mãe eu tinha quantos anos quando comecei a falar, pai com quantos anos as crianças começam a falar, mãe qual é a altura de que pode cair de cabeça um bebé sem se magoar, a partir de quantos meses de idade já pode bater com a cabeça.

Não foi nada, descansa, Maria, eu estava a ver tudo daqui, conduzias o carrinho de bebé com mais entusiasmo do que devias, só isso, tinhas sete ou oito anos, nem tinhas de estar o tempo todo a cuidar de um bebé, de todo o modo querias apenas entretê-lo um pouco mais, que a infância na lavoura já andava com falta de diversão, inclinaste o carrinho uma vez para trás e o bebé gargalhou, ficaste comovida, é normal,

— Vai, Pedrinho, tô te pedindo, o que mais eu já te pedi? Só pedi isso pra tu. Fala um pouco só

inclinaste o carrinho uma e outra vez, mais gargalhadas, atreveste-te um pouco mais além da conta, o corpinho dele deslizou veloz de cabeça para baixo pelo carrinho inclinado, tentaste retomar depressa a posição vertical, o que só aumentou a distância da queda, mas eu vi, conseguiste deixar o pé no ponto exato onde bateu a cabecinha, ou não terás conseguido? O choro muito forte e imediato deve ser evidência de que não aconteceu nada de mais sério dentro do irmão, foi apenas a primeira traição de toda a vida dele, a mais doce de todas.

Não me importo demasiado com a Maria ou com o Pedro, com nenhum desses cachopos perdidos aqui pelos cantos, mas neste ponto sinto-me compadecido, a criança a ocultar de todos o acidente, se algum adulto tivesse visto saberia que tinha sido perigoso, mas não foi grave, pronto, pronto, já está, mas ninguém viu por isso a Maria está até hoje a fazer contas a quanto uma batidela na cabecita pode interferir na fala de um bebé, e por certo a internet da escola fornece uma porção de respostas terríveis, não se vem sentar aqui neste sofá um adulto que pegue nas mãos da pequena e lhe diga qualquer coisa científica, a demora no parto, o oxigénio, os traumas da vida, a falta de vontade de dizer qualquer coisa neste calor, ou neste frio, os venenos que a grávida andou a pôr no tabaco. Ficam todas quietas cada uma com as suas culpas, se calhar até uma árvore lá fora há de julgar que foram as suas sementes ou frutos tóxicos que atrasaram a linguagem do Pedro. Escuta, Maria, escuta bem o teu espelho enquanto me olhas assim com o teu irmão calado no colo, não tens nada que ver com isto, está bem? Aceita esta voz, não tens nada que ver com a demora do teu irmão, com a miséria da tua família, com o desgosto da tua mãe, o espantalho do teu pai, o ódio fingido da tua irmã, que finge tão completamente que chega a fingir que é ódio o ódio que deveras sente.

— Ficou lindo, não ficou, mãe? Ué, cadê a mãe?

O Octávio encolhe os ombros, a fingir que não se importa com nada, diferentemente de mim que de facto não me importo e ainda assim sei que a Guerlinda saiu para fazer qualquer coisa de mais útil lá fora e assim poupar-se da visão da filha a preencher de encantos o seu vestido morto, vincado de estar guardado há tanto tempo, ou não, saiu porque precisava de sair, apenas, sem significado nenhum pois já nem cabe em si nenhum outro dissabor. Quando está exausta a Guerlinda não tem tempo para as coisinhas mais humanas do que o cansaço.

84.

Talvez não seja verdade que os grandes sustos sucedem depois de uma paz suspeita, um silêncio mais calado que os silêncios comuns. A noite ia normal com seus barulhos de grilos e morcegos e a sua escuridão nem tão escura porque hoje tem lua, e agora um foco súbito de luz se arma na estufa, uma tocha se acende acompanhada de um barulho constante de ebulição.

85.

A parede nas minhas costas borbulha neste súbito bafo, a sala amolece tépida, que perigo para os metais esta fundição. Chegam pela janela esparsos sinais de um fumo negro, ainda hesitante e impreciso, insuficiente para despertar os humanos, que já descobriram como fazer o fogo, mas não ainda como dominá-lo na perfeição.

Chega a Guerlinda estremunhada de sono, a cambalear com a camisa de dormir revirada das últimas voltas na cama, sente primeiro o cheiro e depois o calor e agora olha pela janela e sai da casa disparada num grito que não oiço desde as dores de trabalho de parto do Pedrinho, coincidentemente também num dia de fogo, mas controlado, destinado apenas à queima do lixo, e desta vez, pela proximidade do fumo e pelo calor suado na alvenaria, é de se concluir que se passa algo lá fora sobre o que não temos controlo.

O resto da família também acorda com o grito, cada um à sua velocidade de reação, ao ver a janela a Maria volta para apanhar o Pedro e fogem em alvoroço, ninguém volta para resgatar o espelho.

86.

Acho que poucas coisas são mais inflamáveis que uma árvore, talvez só mesmo as árvores já mortas, as folhas ressecadas e incendiárias.

Basta que uma folha de fumo, enforcada e seca na estufa, tenha se despegado da costura. Desceu sobre os velhos canos e descansou ali no aço até sucumbir à quentura e retorcer-se primeiro num tímido esbraseamento. E então pode ser que os vapores a façam dançar pela estufa, um balé chamejante, até tocar nas demais folhas tão secas e enforcadas, quase prontas para a manoca.

E então o clarão devorador arrasa agora a estufa e a família se articula às pressas, Elvira a salvar o fumo pronto do paiol num trabalho invencível, a cada curvada das suas costas rumo aos fardos a fervedura ameaça mais, Maria deixa o irmão sobre a Rural longe da fumaça, pelo menos da atual fumaça, e junta-se aos demais no esforço da mangueira.

Carlos ainda não consegue escapar da sua condição de árvore, imóvel e enraizado. Tem as costas para mim, mas imagino o olhar cristalizado. Gritam-se ordens caóticas que se perdem no som do fogo, não se podia imaginar a força do som do fogo, misturado ao despencar dos metais da estufa e o chilreio dos pássaros que dormiam, e o alarido das galinhas e cabras e porcos todos a par da devastação. Os morcegos desabelham da minha copa e das telhas, cada um lutando por si como é o costume da natureza quando se trata de salvar os humanos, nunca uma chuva que se arme, um riacho que se encha, um poço que jorre sobre o incêndio.

87.

A Elvira irrompe pela sala e atira-se ao lava-loiça para encher dois enormes baldes de água, de certeza que é para que se somem aos baldes que recolhem do poço e à mangueira que escuto a jorrar insuficientemente sobre a estufa.

Na saída vê algo no sofá e pousa um dos baldes no chão para enfiar na roupa o telemóvel da Alice.

88.

O fogo arma-se arrebentadiço e descabelado, alheio aos esforços das pessoas tão pequenas, avança insaciável na direção do galpão do fumo, o teto se expande em notória tumefação, e então as chamas destelham a estufa e elevam-se numa coroa luminosa. Nunca se viu fogo tão convicto na sua sanha de aniquilamento.

As chamas já alcançaram a casinha dos equipamentos, é toda de madeira e portanto estoura depressa sem qualquer resistência. Voam nacos de plásticos retorcidos, pedaços das roupinhas de segurança dançam no céu até se apagarem minúsculos.

Elvira despeja dois inócuos baldes de água sobre o espetáculo colérico de clarões e rajadas, e então corre para a estrada agitando o celular com as mãos em busca de sinal e de socorro. O fogo já se entroncou e se magnificou, e agora esparge sua fúria pelos céus, o que por outro lado é bom porque pode chamar a atenção de algum insone na cidade que distraído na janela veja os sinais dessa assolação.

Sinto na casca o calor que é o meu maior pesadelo, se eu pudesse crisparia os galhos para longe das chamas, que se me tocam as pontas termino de espalhar o terror pela casa toda.

Carlos, combalido e inerme diante dessa vulcanização, finalmente se move e corre para a Rural.

89.

O Carlos tira o Pedro da minha caçamba e deixa o piá chorando no cercado das cabra e agora avançamo na direção do paiol, eu nem devia entrar assim fundo no galpão, a roda engripa no piso o farol estoura, vem a música que ninguém lembra de virar o botão quando me desligam e agora eu toco sem querer tocar e vem todo mundo jogar os fardo de fumo pra cima de mim, o máximo que dá e também até as manoca solta tudo que dá e também dentro e daí a gente da ré e sai com tudo isso pra longe do fogo mas ainda tem muito mais, eles corem a pé com o que dá pra salvar porque a brasa já pegou na ponta de lá e daí é questão de uns minuto só e pronto, justo a segunda apanha ardendo desse jeito na estufa, mais um pouco já pega até um tanto da terceira ali costurada esperando no paiol, vai virar tudo uma calda de fumo.

90.

Oiço os bombeiros a salvar seja lá o que resta desta quinta. O ar abafado e escuro assentou nesta sala de uma maneira que parece que será para sempre. Quando voltarem para casa se calhar não poderão olhar-me nos olhos, é imperioso que não se reconheçam, não me fitem e portanto não constatem Meu Deus este sou eu a voltar do incêndio da minha lavoura, foi mesmo comigo o sucedido.

A verdade é que quanto mais pobres ficam os homens mais e mais pobres tendem a ficar, porque nesse caso é o dinheiro que falta para a maquinaria, os tais safristas, o carro de bois, a família estafa-se sozinha toda curvada na colheita, imersos assim neste desfalcamento, e depois é um cano velho demais que não é trocado na estufa, quando um homem pobre me olha é esse o vaticínio que entrego, Espelho meu, espelho meu, existe alguém mais pobre do que eu, sim e és tu mesmo daqui a dois anos.

A Maria entra com o Pedrinho ainda muito choroso, está farruscada e, ao contrário do que apostei, olha-me implacável, as faces rubras, baixa-se até à altura do irmão e olha-o em mim, abraça-o, tossem no meio do fumo,

— Repete comigo, Pedro. Olha pra você, olha, assim, pra frente, olha no espelho, e repete comigo. A gente

— …

— A gente

— …

— A gente não merece isso.

— …

— Repete, Pedrinho, por favor, uma vez só daí, a gente não merece isso.

Quero dizer-lhe que agora é mesmo capaz que o irmão não fale nunca mais, mas fico eu próprio mudo, se ele não fala também nada falo eu, os labiozinhos colados de saliva e choro.

91.

Com a luz do sol ainda se nota o ar esfumaçado por sobre toda essa arrasadura. Os restos da estufa e do galpão parecem uma pira ainda fumegando como se estivesse cheia de cadáveres indistintos. A consumpção foi total, um extermínio.

Na madrugada, depois de encastelar-se bem alto, o fogo assustou-se já nas primeiras investidas dos bombeiros e enrugou-se e afinou-se até minguar apaziguado como se tudo tivesse sido apenas um arroubo de revolta, ímpetos violentos de um homem que bebeu e agora dá por si diante da louça quebrada.

A família ficou aqui ao pé de mim, acostumando-se à ideia do incêndio. Estagnados diante dessa ossada de folhas, a mortualha que se tornou o galpão do fumo.

Surgem pelo portão os homens da firma e um outro com uma prancheta, caminham com pesarosa convicção na direção dos nossos despojos. Então olham para a lavoura onde as estacas do fumo todo já colhido parecem lanças fincadas na terra seca, apontam na direção da Rural apinhada de fardos e até de folhas soltas,

— Aquilo é tudo o que se salvou?

Carlos não chega bem a assentir com a cabeça, mas a resposta é notória de toda forma. Entregam-lhe um papel repleto de frases, indicam-lhe o local para assinar que é em qualquer lugar do mandado, já não importa.

Guerlinda toma-lhe o papel da mão num gesto inédito, Carlos vai sozinho para dentro da casa e fecha-se, o processo parece já ter pelo menos alguns meses, mas o mandado judicial é de hoje, certamente por causa do incêndio. A agilidade com que avançam na direção da Rural, um deles ainda fica mais uns minutos diante da família, se houvesse um chapéu ele o seguraria solene junto ao peito.

Alice debruça sobre o ombro da mãe, todos ainda aturdidos demais para compreender um papel, compreender que pode haver um papel nas mãos delas indicando o que quer que seja enquanto um homem se acomoda entre as folhas na Rural.

— Penhora,

a Alice lê no papel, é a única palavra em negrito, mentira, há outras destacadas, produção e veículo, e outros bens de valor. Não houve tempo de entenderem o fogo e já é preciso entender a penhora, Alice fotografa o homem que se tivesse um chapéu agora o usaria para cobrir o rosto e safar-se do registro.

O homem da prancheta pede a Guerlinda que o acompanhe para dentro de casa.

92.

O Carlos escondeu-se no quarto e agora um homem vasculha a sala com os olhos, é evidente que aqui não há nada, pertences do dia a dia. Está prestes a sair quando volta os olhos para mim e passa a mão pela minha moldura lusitana, secular, as volutas delicadamente escavadas, a Guerlinda apressa-se em meu socorro,

— Isso não vale nada, pelo amor de Deus, é sentimental

Estou a um só tempo ofendido e lisonjeado, o oficial de justiça tira-me duas fotos,

— Vamos ver isso depois daí. A senhora assina, não pode quebrar esse espelho nem vender.

A minha fiel depositária assina ressentida e incrédula, as lagrimazinhas a escorrer depressa, reparo agora, talvez o olho esquerdo seja mesmo meio para dentro.

93.

Guerlinda voltou da casa, está ela própria inabitada.

Maria puxa a barra do paletó do homem que se virava para sair,

— Pra onde vai a Rural?

— Teu pai sabe, depois ele te explica daí

— Pra onde, moço, onde é que fica a Penhora?

— Aí vai abater da dívida né. A produção e a caminhoneta

— Não, moço, não, a Rural não! O auto não!

— Depois a gente vê as parcelas da terra que falta, teu pai te explica.

O da prancheta dá a volta na roça, anota possivelmente quantas galinhas temos, quantas cabras, quantos porcos, se pudesse anotava quantas filhas.

Os homens dão a partida na Rural, três vezes até pegar, porque não têm intimidade com ela, que de imediato toca o Roberto Carlos, Nossa Senhora me dê a mão cuida do meu coração.

— Vó! A fita, a fita, vai pegar, vó!

A Rural avança com o fumo na direção da estrada, a música ainda alta que pelo jeito eles também não têm intimidade com o rádio, Do meu caminho cuida de mim. Alice filma as costas da Rural já avançando pelo portão.

— Deixa, Maria... Deixa... Assim a Rural fica com uma lembrança da gente.

94.

O Carlos desperta enérgico e histérico para o dia de anos dos filhos, já não há fornalha para cuidar, se calhar é daí que vem o súbito vigor, ou foram os comprimidos, e a medicação é que veio satisfazer-lhe o espírito com algum atraso.

Já não bastava serem irmãos, ou seja, já não bastava que todos os três partilhassem o mesmo pai e a mesma mãe, o que para toda a gente é o que há de mais precioso, pelo menos a mãe, acontece também terem nascido em dias muito próximos, pelo que a família sempre comemora todos os três nascimentos juntos, talvez seja uma forma de garantir que é o mesmo amor, não há distinção nas celebrações, como se fosse mesmo possível amar de forma idêntica, é evidente que não se pode amar duas ou três pessoas em intensidade exatamente igual, e aí deve residir o dilema de todos os irmãos.

Por isso é hoje o convencionado dia de anos dos miúdos, noutros tempos convidavam vizinhos, ou relativamente vizinhos, um ou outro colega da Maria, mas já há alguns anos que é este desamparo, as três crianças a baterem palmas atrás de um desajeitado bolo de milho.

Pois logo hoje o pai acordou jovial e garrido, já trouxe vários ramos de macela para enfeitar a sala, e a Guerlinda já está a bater com a força dos braços um bolo que não é de milho, e já temos brigadeiro a arrefecer na travessa sobre a mesa, se calhar era tempo o que faltava, nos meses de janeiro tiveram apenas tempo de parir, por três vezes, além desse gesto inevitável não podiam mais repousar descontraidamente.

Pouco a pouco assomam à sala os filhos, a esperar por derrocada e ruína e a dar com os pais prontos para os festejos ainda no meio do cheiro a incêndio. A Maria não consegue tirar do rosto a impressão da penúria, da indigência, somos todos uma grande massa falida, mas anima-se com a visão do brigadeiro.

A Alice sorri sozinha, ninguém está a ver o sorriso, nem mesmo ela que não me olha, é portanto o seu sorriso mais sincero. O Carlos dá um beijo apertado demais em cada um e sai seguindo uma forte convicção.

A Elvira caminha com dificuldade, dorida de toda a batalha contra o fogo e depois a batalha contra o colchão, porque certamente não se dorme depois de uma cena assim, quando tentam adormecer os humanos ficam em silêncio consigo mesmos e os olhos fechados e a concentração para relaxar, de certeza de que enquanto um lado de Elvira dizia Estás exausta dorme agora, o outro lado enviava imagens de cada foco de fogo que ela não logrou apagar, e ensaiava frases do que dizer à filha para a recuperar desta queda irreversível, e o que fazer desta família que é mais sua do que nunca, quando um filho adulto sucumbe a mãe torna a ser a mais primitiva das mães, e agora sem a energia da juventude. Por fim, chega a Elvira com tudo isto estampado na cara e ao notar o circo que se arma para o dia de anos dos netos vai à janela e acende um cigarro,

— Catei umas folhinha rasgada que caíram da Rural...

A Guerlinda ajeita a massa do bolo fazendo girar a assadeira,

— Faz um cigarro pro Carlos, mãe

e a Elvira a fumar com o cotovelo no parapeito saca do bolso outros dois cigarrinhos que ergue vitoriosa, vai deitar as beatas ao copo de água e deixá-lo na janela e enlouquecer a filha. A Alice titubeia como nunca vi, a tatear o ambiente para que não se frustrem os seus planos,

— Mãe, o Octávio me busca amanhã às seis da manhã

— Dá aquele vestido pra tua avó passar, tenho medo de tu queimar daí

e a rapariga respira aliviadíssima, se calhar a família está mesmo a contar com o dinheiro do prémio.

A Maria tem a cara cheia de perguntas, mas até ela sabe que não se chega a uma altura destas a perguntar E agora? Então, ocupa-se de sofrer a dor mais comezinha de ser a irmã que não participa de concursos de beleza, no máximo é escolhida pelo município como minivereadora, nunca o município olhará para a sua candidatura e dirá Pronto está aí a nossa bela representante para o Musa do Sol, e por mais que se tente convencer de que isso não tem a menor importância, que é preciso estudar muito e salvar-se desta terra tão desapropriável, safar-se dos contratos, que de nada vale ser uma rapariga vistosa quando lá fora ainda fumegam os destroços da sua vida, não adianta pois cá estou eu a mostrar-lhe o contrário, olha-me e odeia-me, afoga-se sozinha nos seus recém doze anos. Eu também nada faço para evitar isto, por certo olho-a e odeio-a de volta e seguimos assim.

Os porcos dão início a uma série de guinchos agudos, chegamos todos a pensar que é abigeato, apesar de agora termos mais medo de penhoras do que de furtos, ou então se calhar ainda nem amanheceu bem e já estão a penhorar os porcos, decerto se deram conta do meu valor e voltarão aqui a casa para me levarem, mas depois os guinchos misturam-se com o som de golpes, e logo depois entra o Carlos coberto de sangue a chamar a Elvira e a Guerlinda para carnearem o bicho, saem os adultos animadíssimos rumo ao certamente colossal abate, as raparigas olham-se aniversariantes e incrédulas.

95.

Maria recostada no meu tronco canta no ouvido do Pedro, o amor é tanto que ela beija e baba as bochechinhas macias, como é notória a maciez humana, talvez todo o problema e toda a solução dos homens e de outros mamíferos resida na maciez. A carne palpável abre as portas para o amor e também para um tapa, um soco, a entrada fácil e convidativa de uma faca, deve ser assim que se veem uns aos outros, macios receptáculos de toques e golpes.

O sol cai e refresca um pouco, aparece o barulho do adejo das aves no ar, o meu som favorito depois das vozes das pessoas. Vem a Alice com um imenso sanduíche de porco, senta-se no meu balanço e entrega outros dois lanches aos irmãos,

— Vovó falou que a gente vai fazer salame pra tu vender com o pai daí

— Mas se não tem carro né.

— Eu acho que ela vai pedir socorro pra tia, ela pega meu telefone toda hora

— A tia nem sabe da gente... Perigoso é a avó só fugir daqui e pronto, Alice

— Se eu fosse ela fazia era isso mesmo. Hein, Pedrinho, tu também não ia fugir daqui se pudesse, no meio do fogo ainda, não ia nem apagar, ia deixar queimar a casa, a árvore e até a cabritinha, e não voltava mais né.

— Alice, o Pedro não fala mais... Falou só aquela vez e parou daí

— Deixa ele sem sanduíche que tu vai ver ele pedir outro

Alice ri para trás e vacila no balanço, Maria a retém pela corrente, erguendo apenas o braço, sem levantar-se, e cochicha

— Eu... Não sei, eu acho que eu tenho alguma coisa a ver com isso...

— Tu? Tá doida?

— Tu jura que não conta pra ninguém?

— Juro pelo galinheiro todo.

Maria se ergue e começa um cauteloso teatro de mímicas,

— O carrinho tava assim, e eu brinquei desse jeito aqui várias vezes, daí ele escorregou aqui por cima e foi com a cabeça no chão e chorou um montão, muito alto, mais que porco.

— Quanto tempo ele tinha, tu disse, quase um ano?

— É

— Tu é chegada num problema pra ficar pensando né, Maria, eu derrubei tu também, boba. Derrubei desse mesmo jeito, tu tinha essa idade aí igual, chorou um monte, eu tapei a tua boca pra ninguém ouvir, bateu a cabeça, fez um barulhão e tu taí ó, toda vereadora cheia de pensamento e a língua maior que a boca.

— É verdade?!

— É

— Não é

— E eu ia inventar pra quê? Pra tu ficar tranquila? E desde quando eu me importo né? Agora deixa de caçar problema, o guri não quer falar porque aqui não tem muita coisa boa pra dizer.

— Tu viu que chamuscou o Espantarlos? Tá todo comido de fogo do lado de cá.

— Quando eu voltar com o dinheiro do prêmio a gente faz outro mais bonito.

Os adultos vão chegando com uma toalha e bolo e três velas.

Alice abraça o pai com a mão engordurada do porco, apertam-se um tempo. A maciez. Ela cochicha, uma súbita timidez que não é típica,

— Pai, eu vou trazer o dinheiro do prêmio pra casa, o senhor vai ver. Vai ficar tudo bem.

Carlos aperta-a mais, acho que chora.

96.

É tanta a festividade do casal que se calhar só precisavam mesmo de se tornarem reconhecidamente pobres, o problema estava na luta para não o serem, a Guerlinda e o Carlos olham-se de uma maneira como há muito não faziam, ou talvez nunca se tenham olhado assim, há qualquer coisa de uma entrega inédita, investem e apostam um na energia do outro. A Alice liga o telemóvel à caixinha de som estourada e a música destoa de tudo o que cá de facto se vive, e dançam as raparigas a puxar a avó e o Pedro pelas mãos, o Carlos ainda abraça a Guerlinda de forma tão apertada que penso que ela vai estalar como um espantalho ao fogo, e então fita-me bem fundo, ainda abraçado a ela, sou alguma espécie de traição, ninguém espera que um marido ao abraçar desta maneira a esposa olhe para o espelho com tal descaramento.

Aparece o Octávio a fazer de conta que nada no mundo lhe toca ou importa, veio por força das convenções cumprimentar a Alice pelo seu dia de anos e combinar parvoíces para o Musa do Sol, arrisca umas quantas palavras de pêsames sobre o incêndio, traz chá de mate de presente para a família, dá palmadas masculinas nas costas do Carlos, depois fica a dizer asneiras sobre a musiquinha comida pela caixa já húmida dos duches musicais da Alice. Sim, ela tem a mala pronta, sim, apanhou o fato de banho e o vestido etc.

A Guerlinda apanha o Pedro e espeta-lhe infinitos beijos, sentam-se para comer mais porco, até oferecem ao Octávio, a Elvira é a mais cética de todos, não consegue estar inteira nestas festividades, lá fora por certo só há as ruínas da estufa e da fornalha, ela não é do tipo de se deixar ir abaixo por dá cá aquela palha, mas tampouco há de compactuar com esta histeria.

O que chamam sabedoria dos velhos parece-me algo mais objetivo, noto na Elvira que há um limite até onde um humano aguenta a vida até se enfastiar e, mais do que isso, há um espaço máximo para comportar as emoções e a esta altura é preciso escolher o que entra, para cada novo armazenamento é preciso deixar ir qualquer coisa antiga que já não serve, ou algo da semana passada, os velhos ficam seletivos, não porque já não tenham tanto tempo de vida e precisem de ficar rigorosos, mas porque de facto não há espaço e é preciso escolher — com sabedoria — o que entra e o que não entra. Esta noite decerto pouco vale à minha Elvira.

97.

Nesta madrugada quente alguma coisa na minha solidão se alastrou, chego a abandonar folhas a um vento que não vem. Talvez sejam as estacas do fumo colhido, fincadas feito lanças mortíferas na terra. Ou pode ser a visão de toda a área carbonizada, e o ponto de grama onde ficava a Rural, agora vazio, apenas com uma poça do óleo que vazava dela, a poça refletindo lindamente a luz da lua. Este lugar, mesmo abrasado e desfeito, insiste nessas belezas desconcertantes.

Ano passado Maria contou, viu na internet da escola, só agora me dou conta do drama desta informação, não sei como fui pular este registro aqui. Existe uma árvore plantada mais de um século atrás numa ilha vulcânica desabitada, no país Nova Zelândia, e os homens a chamam de A árvore mais solitária do planeta. Imagino o que é viver cem anos olhando de um lado para restos de vulcões e de outro para gramados e arbustinhos distantes. Não há o grito de sede da bracatinga, não há nem sinal da maciez humana.

Ela nem deveria ser uma árvore tão isolada, porque ela parece um pinheiro de Natal, e o Natal resolve tudo. A madeira dela também faz um bom violão.

Ah e se não bastasse essa solidão, além de tudo ela tem traços de radioatividade, andaram fazendo testes de bombas termonucleares que a contaminaram. Algo radioativo é mais tóxico que as minhas favas. Mais venenoso que os mil venenos do fumo. Não sei nem se essa árvore desgraçada sabe disso, já que não tem nenhuma árvore em toda a ilha para mandar qualquer sinal que seja. Talvez ela não saiba que é uma árvore, e muito menos que é a referência para todas as árvores quando se sentem sozinhas.

Então é isso, existe uma árvore que é a árvore mais solitária do planeta e ela é radioativa.

98.

A Guerlinda acordou antes da hora de cuidar dos bichos e do que quer que ainda haja para cuidar, dedica-se à escrita obstinada de algum tipo de carta ou bilhete, curva-se sobre a mesa no esforço da caligrafia, fica a interromper os traços com a constante contenção de um choro que a golpeia em soluços, ela abafa-o, recompõe-se, aproxima o papel ao feixe de luz que vem ainda fraca das primeiras ameaças do sol.

Deve estar a escrever à irmã, Querida irmã, desculpa o atropelo dos anos, não sei como acabámos por passar tanto tempo assim distantes, a mamã está ótima, cada vez melhor, deve ter sido a tua companhia todos estes anos, enfim.

E depois se calhar pede perdão por algum disparate que lhe fez aos oito anos de idade, desculpa ter contado à mamã que roubaste as moedas da igreja, levaste por minha causa uma valente surra, sei que me odeias, ainda assim, somos irmãs, estamos unidas pelo amor que temos à mesma mãe, e escuta lá, tudo o que eu dizia à mãe sobre as maravilhas da terra, vê, enganei-me um bocado, o Carlos não me deixava a par de nada, sabes como são os nossos homens, sofreu sozinho os últimos anos todos e agora ainda por cima está deprimido por causa dos venenos, já lhe falham os movimentos de uma das pernas, há qualquer coisa peculiar no seu caminhar, um volteio a mais numa das coxas antes do passo, enfim, estamos em total penúria, levaram-nos a camioneta e o tabaco, até o magnífico espelho corre risco, se calhar vêm-nos tomar a terra, mas tudo tem solução, por favor, aceita aí contigo os meus filhos, quem cuida de cinco cuida de oito, o mais pequeno nem dá trabalho, não fala, seria bom a Alice retomar os estudos, vou atrás dos irmãos do Carlos, se calhar recebem-nos no terreno deles e vamos ao milho e às batatas e às cebolas, apesar de serem todos mais velhos, não sei se vão compreender, mas tu és nova e compreendes tudo. A questão também é que sem o carro já não temos como aí chegar, nem te posso devolver a mãe.

A carta, ou talvez seja um bilhete, apenas um bilhete porque é pouco o que é escrito, não alcança a velocidade das reflexões e inflexões de um espelho, o papel já vai molhado dos prantos, com uma ou duas frases se tanto. Fica a arfar na cadeira. Começa a parecer-me que é de despedida o bilhete, vai-se desta quinta, ou vai-se muito além. Ameaça desistir de deixar a nota a quem quer que seja, ou ameaça desistir do que quer que seja, há coisas que moram tão longe da superfície que aos espelhos não lhes cabe percebê-las.

Olha-me de súbito, e depois assusta-se, afasta bruscamente a cadeira e levanta-se ruidosa, sem se preocupar com o sono dos outros, apesar de eu já escutar a Alice a enfeitar-se na casa de banho para esperar o Octávio.

A Guerlinda reparou em mim no chão, apoiado na parede, fora do meu prego habitual, encostado à pressa e ainda tal como fui deixado há nem bem um quarto de hora, e decerto nota a fita adesiva que como de costume cola a chave do armário de venenos à parede atrás das minhas costas, pelo que suponho estar a fita-cola metade solta e desprovida da chave, e é agora que a Guerlinda se dá conta de que se o Carlos apanhou a chave com tamanha pressa que nem teve o cuidado de me fixar de volta, é também dela a mesma pressa agora. Há fugas que vão mais adiantadas e sem bilhetes.

Dispara pela porta e passam cinco segundos até que oiço o maior grito que já foi dado nesta terra.

99.

Tentei impedir com as minhas folhas e meus galhos em riste, meus braços erguidos em alarme geral. A madrugada é silenciosa demais, a natureza não cuida dos homens, estamos aqui para incendiar, envenenar, alagar, secar, não há nas plantas nenhum instinto que ampare a maciez humana.

O tubo do veneno ainda escorre o seu resto ao pé de mim. A cabeça do Carlos repousa na minha pele de árvore como se eu fosse macia, minha enorme raiz podia ser um colo de mãe que lhe afagasse. Ainda há pouco havia espasmos, a espuma na boca e em toda a barba. É capaz que ainda venham aqueles homens cobrar por também este frasco.

Guerlinda grita ainda sem coragem de ajoelhar-se, agora vem Alice, corre em nossa direção, a mãe a agarra pela cintura e sucumbe de joelhos, é preciso que a filha lhe segure a cabeça que ameaça um desmaio, ajoelham-se ambas. Chega então Elvira, vem mais lenta, já se deu conta de tudo, ajoelha-se e entra neste abraço, nesta pilha de mulheres tombadas, impossível saber se nesse aperto estão tombando mais ou ajudando-se a ficar mais uma vez de pé.

100.

A Alice volta a casa, lívida, mas veloz, mesmo a tempo de impedir a irmã que já saía levando o Pedrinho pela mão

— Senta, Maria, não sai

— Como não?! O que é lá fora? Me deixa passar, Alice

— Eu tô mandando, Maria, me escuta, olha bem pra mim, vai ser a última vez que tu vai me obedecer, eu te prometo

Baixa-se até quase tocar a cara dela com o nariz, retém no olho a força do choro, está a envelhecer vinte anos, murmura muito convicta

— Eu vou no quarto buscar o celular, e vou na estrada fazer uma ligação, e tu vai me prometer que não vai sair dessa sala, eu preciso que tu me prometa, confia em mim, confia essa única vez na tua vida, não olha nem a janela, Maria, eu te imploro, é a última coisa que eu vou te pedir.

A Maria começa já um choro que a Alice ampara num abraço que se torna depressa um abraço de joelhos ao chão, se calhar é isso então que é serem irmãs.

101.

Elvira sente o pulso do genro, esforça-se,

— Ainda tá vivo, se a Alice conseguir depressa a ambulância, quem sabe

Estão sentadas ao lado do corpo, ou talvez ao lado de Carlos. Não há ainda um corpo, mas não têm coragem de olhá-lo. Há um azulado difícil nos lábios espumados, e uma insólita paz.

Um carro avança de forma jovial pelo portão e vem frear já quase aqui, a música do rádio está muito alta, é dançante e canta muitas coisas que não combinam com o cenário. Otávio vem guiando e no banco do passageiro há uma moça bonita, decerto vão ao Musa do Sol. Alice vem correndo do portão atrás do carro, debruça-se na janela e gira depressa o botão do rádio.

— Vai pegar a tua mala né

— Cala a boca, Otávio, vem ajudar!

Guerlinda e Elvira sentam o Carlos apoiado no meu tronco, a cabeça pende. Otávio fica parado, talvez com a cara que têm os humanos diante de um súbito cadáver. Alice pega um dos pés do pai, ainda é seu pai, não é um corpo,

— Vem logo, Otávio, ele tá vivo!

Ele ainda está desconcertado, não é rápido o ajuste das pessoas aos planos da morte, levanta-se e estanca, ainda não sabe agir

— Mas, Alice...

Até a moça que estava no carro já desceu e acolheu o outro pé de Carlos, levam-no aos trancos até o banco de trás, ninguém mais dirige, não há tempo para despertar o Otávio da sua conveniente catatonia, Alice pula no banco do motorista e sai de ré sem deixar morrer o carro nenhuma vez, manobra sem medo por sobre os restos de incêndio e fumo. Guerlinda apinhou-se atrás, imagino que ajeita a cabeça do Carlos na sua coxa, agora sim um colo capaz de amparar a maciez humana, só não sei se ainda é tempo, não acho mesmo que seja.

Elvira volta para dentro da casa para o consolo dos netos, não me olha, não me olharão jamais, eu tão cúmplice, o frasco emborcado ao meu lado.

Otávio e a moça vão saindo a pé pelo portão, não dizem nada que eu possa escutar. O carro já vai longe, de certo Guerlinda alisa por trás o ombro da filha agradecendo a condução obstinada e adolescente. A filha de quando em quando vai olhar a mãe pelo retrovisor, a mãe vai olhar a filha, vão seguir aos solavancos até que cheguem ao hospital e tenham enfim dado tudo de si.

O sol termina de chegar e já vem bem forte, como se fosse um dia lindo.

Homens hão de vir tomar a terra, penhorar os animais, vão levar até as cabras que ainda berram sem parar, alarmadas pelo berro humano. As mulheres vão sumir com Pedrinho numa boleia qualquer. Vou continuar aqui com meu galho erguido segurando o balancinho.

Fico imaginando um cenário em que as pessoas são como as árvores conectadas em uma floresta secular e imensa, e antes de se pôr o sol vou começar a ver despontando na estrada umas cabecinhas, primeiro dezenas, depois verei que são centenas, todos os fumicultores da linha, todos das coxilhas próximas, todos da região inteira. Trazem uma trouxa de fumo cada um, vão deixando no paiol, formam uma imensa pilha.

Então eu mesma me interrompo porque essa cena só faria sentido se fôssemos os únicos, se não houvesse florestas inteiras repletas de famílias devastadas.

E também a esta altura o que sei eu de florestas e famílias. Que fique registrado e atualizem a informação: agora é neste país que vive a árvore mais sozinha do mundo.

Agradecimentos

Agradeço imensamente às famílias de fumicultores que me acolheram e me abriram suas vidas, e a todos os profissionais e interessados que responderam perguntas e compartilharam seus estudos e pesquisas. Obrigada à Jéssica e à Rafaela, pelo firme incentivo desde a primeira menção à ideia. Obrigada de coração também à Rute e à B. pela leitura e pelas sugestões tão especiais. Obrigada de novo à Camila, pela primeira leitura de sempre, e ao Eduardo por me ler de perto, viajar comigo e se engajar em todos os assuntos que me encontram.

Grafia atualizada segundo o Acordo Ortográfico da Língua Portuguesa de 1990, que entrou em vigor no Brasil em 2009.

capa
Ana Heloisa Santiago
obra de capa
Gustavo Magalhães
composição
Livia Takemura
leitura dos trechos em português europeu
Rute Simões Ribeiro
preparação
Érika Nogueira Vieira
revisão
Ana Alvares
Gabriela Rocha

citações pp. 5-7
Ana Martins Marques, *O livro dos jardins*. São Paulo: Quelônio, 2019;
Peter Wohlleben, *A vida secreta das árvores*. Trad. de Petê Rissatti. Rio de Janeiro: Sextante, 2017.

2ª reimpressão, 2025

Dados Internacionais de Catalogação na Publicação (CIP)

Carrara, Mariana Salomão (1986-)
A árvore mais sozinha do mundo / Mariana Salomão Carrara. — 1. ed. — São Paulo : Todavia, 2024.

ISBN 978-65-5692-612-4

1. Literatura brasileira. 2. Romance brasileiro. 3. Ficção contemporânea. I. Título.

CDD B869.3

Índice para catálogo sistemático:
1. Literatura brasileira : Romance B869.3

Bruna Heller — Bibliotecária — CRB 10/2348

todavia
Rua Luís Anhaia, 44
05433.020 São Paulo SP
T. 55 11. 3094 0500
www.todavialivros.com.br

fonte
Register*
papel
Pólen natural 80 g/m²
impressão
Geográfica